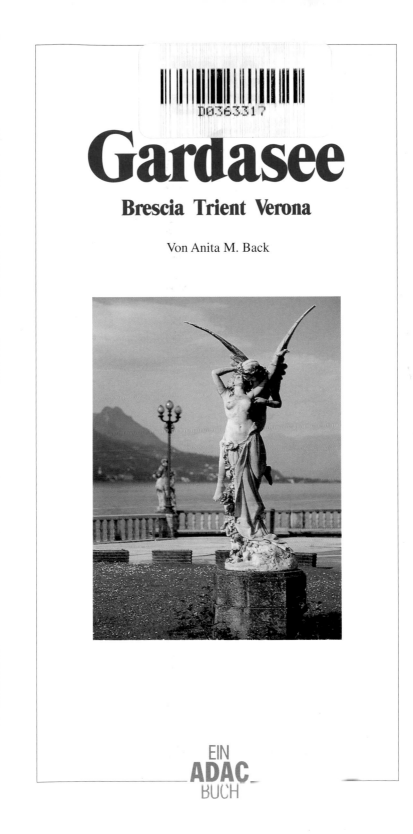

Gardasee

Brescia Trient Verona

Von Anita M. Back

EIN
ADAC
BUCH

Inhalt

Riva vermittelt noch den Hauch jener Zeiten, als es Künstler und mondäne Sommerfrischler ins Sehnsuchtsland Italien zog

*Am schmalen Nordende des Sees pfeift der
Wind – sehr zur Freude unzähliger Surfer*

*Urlaub total: Am malerischen Hafen unter
Palmen sitzen und aufs glitzernde Wasser
blicken – nicht nur in Limone!*

Inhalt

Der Ort innigster Liebesschwüre – seien sie nun Dichtung oder Wahrheit: der Balkon der Julia in Verona

Elegant geschwungene Fenster – hier in Garda – künden von Glanz und Einfluß der einstigen Großmacht Venedig

Dies und Das

Urlaubsträume: In einem bunten Boot sanft auf spiegelndem Wasser schaukeln ...

Gardasee aktuell A bis Z

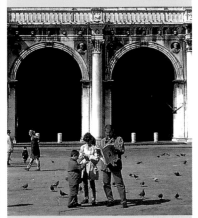

... oder historische Städte erkunden – am Gardasee werden solche Wünsche wahr

Ein köstliches Schauspiel

»Selbst Neptun ließ das Meer im Stich und versuchte, dem Benacus die Herrschaft zu entreißen.«   Agostino Brenzone

Seit der Antike wurde der Gardasee, den die Römer *lacus benacus* nannten, seiner Anmut und Schönheit wegen immer wieder von Literaten gerühmt.

»Heute Abend hätte ich können in Verona sein, aber es lag mir noch eine herrliche Naturwirkung an der Seite, ein köstliches Schauspiel, der Gardasee, den wollte ich nicht versäumen, und ich bin herrlich für meinen Umweg belohnt«, schrieb Goethe im September 1786 am Beginn seiner Italienreise.

Was für den Dichter ein Umweg war, ist inzwischen für viele zum ersehnten Ziel geworden. Kaum eine Landschaft hat Nordeuropäer so fasziniert und angezogen wie der Gardasee, der seit langem als Inbegriff des Italienerlebnisses gilt.

Das milde Klima, die Vielfalt an Farben und Stimmungen, der beeindruckende Gegensatz von dramatischem Gebirge und sanften Hügeln zog über Jahrhunderte Schriftsteller, Dichter, Wissenschaftler und Humanisten an.

In den letzten dreißig Jahren hat sich der **Gardasee** zu einem idealen **Feriengebiet** entwickelt. Die landschaftliche Vielfalt ermöglicht neben jeder Art von *Wassersport* auch andere Aktivsportarten wie *Bergsteigen, Wandern, Reiten* und *Golfspielen*. Nicht zuletzt präsentieren sich die Orte am Gardasee und die Städte in der näheren Umgebung dem Bildungsreisenden als eine bedeutende *Kulturlandschaft*, deren Denkmäler bis in die Bronzezeit zurückreichen. Etrusker, Römer, Ostgoten, Langobarden, Franken, Scaliger und Venetier beherrschten im Verlauf der Jahrhunderte die Region und hinterließen eine Vielfalt an Architektur und Kunstwerken. Neben Resten römischer Villen in **Desenzano** und **Sirmione** tritt vor allem die Kirchenbaukunst der Romanik mit bedeutenden Beispielen u. a. in **Verona, Trient** und **Brescia** hervor. Bauwerke der italienischen Frühgotik und der Renaissance venezianischer Prägung sind Zeugnisse der folgenden Epochen. Die Malerei bringt unter dem Einfluß von Meistern aus Padua (Mantegna) und Venedig (Tiepolo, Tintoretto) beachtenswerte Werke hervor.

Dem Verlauf der Uferstraßen am Gardasee folgend, gliedert sich die Reisebeschreibung der Orte und Landschaften zunächst in zwei Hauptteile, die jeweils durch Ausflüge ins Hinterland ergänzt werden.

Links: *Das Dante-Denkmal auf der Piazza dei Signori in Verona erinnert daran, daß der Dichter 1302 hier Zuflucht fand*

Unten: *Die schönsten Sonnenuntergänge erlebt man auf der Punta San Vigilio*

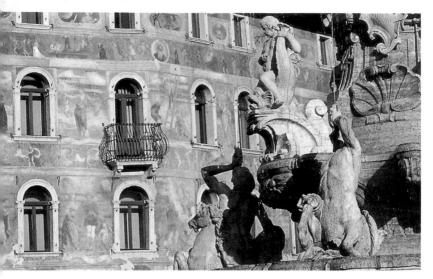

Die erste Reiseroute führt den Besucher entlang des Ostufers über die **Gardesana orientale** von Torbole bis Sirmione. Auf der zweiten Route über die **Gardesana occidentale** wird das Westufer von Riva del Garda bis Desenzano erkundet. Es schließen sich **Lonato** und **Brescia** westlich des Gardasees an. Im dritten Abschnitt werden zwischen **Trient** und **Verona** die bedeutenden Städte und Landschaften der östlich vom Gardasee gelegenen Region vorgestellt.

Hinweise auf Informationsstellen, Hotels und Restaurants sind den jeweiligen Städten und Orten angegliedert, um schnelles Auffinden zu ermöglichen. Die Auswahl basiert auf persönlichen Erfahrungen und ist daher subjektiv.

Gebirgslandschaft mit südlichem Flair

Als »edelsteinhafte Transparenz, jenseitiges Blau« beschrieb Eckart Peterich die ungewöhnlichen Farbnuancen des Was-

Oben links: *Auf dem Domplatz von Trient erhebt sich der barocke Neptunbrunnen; im Hintergrund die Fassaden der Rella-Häuser*

Unten links: *Jeden Tag findet der Markt in irgendeinem Ort am Gardasee statt*

Oben rechts: *Die malerische Dachlandschaft von Limone*

Unten Mitte: *Die Hochebene von Tremosine*

sers, das die Winde des Südens oft mit intensivem Grün mischen, während die von Norden wehenden ein tiefes Blau, ja sogar eine unheimliche Schwärze erzeugen.

Fjordartig drängt sich der **Nordteil** des Sees zwischen das beherrschende Monte-Baldo-Massiv und die Brescianer Alpen. Kristallklar und kühl bietet er das typische Bild eines Gebirgssees. Nach Süden hin öffnet er sich fächerartig, anmutig schmiegt er sich in das sanft gewellte ›Moränenamphitheater‹. Ölbäume und Weinstöcke charakterisieren die Hänge am **Ost-** und **Südufer**, während sich im **Westen**, sobald das Gebirge mit den steilen Felsabstürzen zu Ende geht, eine üppige subtropische Vegetation entwickelt. Pflanzen, die den Mittelmeerraum vorausnehmen, gedeihen hier in verschwenderischer Pracht: Oleander, Mimosen, Akazien, Hibiskus und Bougainvillea. Früher belebten auch Zitrushaine die Ufer des Sees. Ihre Früchte waren Markenzeichen für die Qualität der heimischen Produkte. Kalte Winter und Konkurrenz aus dem Süden machten ihnen den Garaus. Nur hier und da blieben ein paar ›Limonaie‹ (eine Kombination aus Zitronenhain und Gewächshaus) erhalten; sie wecken die Erinnerung an Zeiten, als auch der Gardasee ein Land war, »wo die Zitronen blühen«.

Am Rande der großen Durchgangsstraßen von Norden nach Süden und von

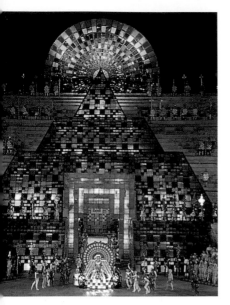

der »süßen, unglaublichen und erhabenen« Schönheit dieser Landschaft und ihrer Pflanzenwelt. Einzigartig sind die *Baldoanemonen* (*Anemone baldensis*), die wilden, rotblühenden *Pfingstrosen*, sowie die *Segge* vom Monte Baldo (*Carex baldensis*), zu denen sich Edelweiß, Enzian, Alpenrosen und seltene Orchideenarten gesellen. Im frühen Sommer fügen sie sich zu einem ganz besonderen Farb- und Dustteppich. Vielfältig sind auch die *Heilkräuter*, die in dem weiten Almengebiet wachsen. Das lang hingestreckte Massiv mit den Gipfeln Monte Altissimo, Bocca di Navene, Valdritta, Monte Maggiore und Coàl Santo ist darüber hinaus ein abwechslungsreiches Wandergebiet, in das Hütten, Almbauernhöfe und kleine Dörfer eingebettet liegen. Im Winter lockt es die Skifahrer an, die mit der Seilbahn von Malcesine herauffahren.

Beherrscht von vielen Völkern

Nach der Eiszeit begannen sich die Menschen in den Hügeln und Talböden anzusiedeln. Überreste prähistorischer Pfahlbauten fand man zwischen Desenzano und Lonato sowie am Ledrosee. Höhlenzeichnungen an den Hängen des Monte Baldo bei Torri del Benaco berichten von frühen Kulturen. Im Laufe der Jahrhunderte ließen sich verschiedene Volksstämme an den Ufern des Sees nieder. Die **Kelten** gaben ihm den Namen ›Benacus‹, was vermutlich ›See der Halbinseln‹ bedeutet.

Mit den **Römern** begann im 2. Jh. v. Chr. die systematische Kultivierung der Region. In Folge der Christianisierung seit dem 4. Jh. entstanden neben Klöstern auch Straßen, die vor allem im Süden das Seegebiet erschlossen. Die wechselnde Herrschaft von Visconti, Scaligern, Trienter und Brescianer Bischöfen in den folgenden Jahrhunderten prägte die Kultur

Osten nach Westen gelegen, lockt der See als eine südländische Oase zwischen Alpen und Poebene, ein Ruhepol und Verbindungsglied zwischen Nordeuropa und dem Mittelmeerraum.

Mit fast 52 km Länge und einer Ausdehnung von ca. 370 km² ist er der größte See Italiens. In der Tiefe erreicht er 346 m. **Erdgeschichtlich** geht sein Ursprung auf die Eiszeiten zurück, deren gewaltige Gletscher tiefe Einschnitte in das Gebirge gruben und jene gigantischen Felsformationen schufen, die sowohl das Etschtal als auch das Sarcatal auszeichnen. Als das Eis schmolz und nach Süden abfloß, lagerte sich der Schutt des zermahlenen Gerölls als Moränenhügel zwischen Verona und Brescia ab, welche die Menschen seit Jahrhunderten als fruchtbares Weinland nutzen. In der mit schmelzendem Eis ausgefüllten riesigen Talmulde bildete sich die Wasserfläche des Sees, dessen Ränder tief in die fast senkrecht abstürzenden Bergwände reichen.

Einen besonderen Platz in der Entwicklungsgeschichte des Gardasees nimmt der **Monte Baldo** am Ostufer ein. Während das Eis meterdick die Täler füllte, blieb das über 2000 m hohe Massiv unbedeckt. Seine Höhen bewahrten dadurch eine eigentümliche endemische **Flora**, die später auftretende Alpengewächse bereicherten. Seit dem 15. Jh. begannen Botaniker, diesen ›Garten Italiens‹ zu erforschen, und sie berichteten von

Oben links: *Die Arena von Verona im Glanz einer nächtlichen Aufführung der Oper Aida*

Oben rechts: *Kulinarische Freuden unter freiem Himmel in Riva*

Unten Mitte: *Die Marina von Lazise schiebt sich weit in den Ort hinein*

und die Architektur am See. Sie gab Orten wie Riva del Garda, Malcesine, Torri del Benaco, Garda, Sirmione, Salò oder Desenzano ihren besonderen Charakter. Vor allem Verona und Brescia machten ihren Einfluß geltend, ehe **Venedigs** lange Herrschaft begann. Doch auch Langobarden, Franken, Staufer und andere Herrscher des Nordens hinterließen ihre Spuren in dieser großartigen Landschaft, die schon früh die Sehnsucht und Begierde der Völker des Nordens erregte. Ihnen verdankt der See auch den neuen Namen ›Garda‹.

Nach den Venezianern kamen **Franzosen** und **Österreicher** und fanden Gefallen an der schönen, von der Natur reich ausgestatteten Region. Zielstrebig bemächtigten sie sich der strategisch wichtigen Straßen, die den Norden mit dem Süden verbinden. Lange sollte es dauern, bis Oberitalien endlich seine Eigenständigkeit wiedererkämpft hatte.

Beliebt bei allen Urlaubern

Den kriegerischen Heeren folgte der **Tourismus**, langsam zuerst und mit Noblesse. Vor allem das Gebiet um Salò und Gardone bewahrt die Erinnerung und die Zeugnisse dieser Epoche. Nach dem Zweiten Weltkrieg setzte der Massentourismus ein. Segler und Surfer entdeckten die sportliche Herausforderung der Winde, die über den See fegen. Die Urlauber der Neuzeit lösten die feinsinnigen Genießer der Vergangenheit ab, die Landschaft, Natur und Kultur noch um ihrer selbst willen gefeiert hatten. Dieser moderne Tourismus erschloß den Seebewohnern zwar reiche Geldquellen, er veränderte aber das harmonische Bild dieser Landschaft ebenso wie die traditionelle Lebensart ihrer Bewohner. Erst jetzt, da die Probleme eines überdimensionierten Tourismus immer drängender werden, beginnt man sich neu zu besinnen. Zaghafte Anzeichen einer Wende von Quantität zu Qualität und einer Wiederbelebung alter Traditionen machen sich bemerkbar.

Der Reiseführer

Dieser Band stellt das **Reisegebiet Gardasee** mit den Städten **Brescia**, **Trient** und **Verona** in *vier Kapiteln* vor. Die Autorin beschreibt zunächst die Sehenswürdigkeiten der Ostküste des Sees (Gardesana orientale), dann die der Westküste (Gardesana occidentale), wobei die Reise jeweils von Nord nach Süd führt. Die Darstellung der großen Städte schließt sich an. *Übersichtskarten* und *Stadtpläne* erleichtern die Orientierung. Besondere Empfehlungen zu Sehenswürdigkeiten, Hotels, Restaurants oder schönen Landschaften bieten die **Top Tips**. Den Besichtigungspunkten sind **Praktische Hinweise** mit Tourismusbüros sowie Hotel- und Restaurantadressen angegliedert. Der **Aktuelle Teil** bietet alphabetisch geordnet Nützliches von Informationen vor Reiseantritt über Sportmöglichkeiten bis zu Verkehrsmitteln. Kurzessays runden den Reiseführer ab.

Rekonstruktion von Pfahlbauten am Ledrosee

Das Gardaseegebiet und das benachbarte Etschtal, die am Schnittpunkt bedeutender Durchgangsstraßen von Norden nach Süden, von Osten nach Westen liegen, haben eine lange, bewegte Geschichte. Die Wurzeln der Besiedlung reichen weit zurück.

2000 v. Chr. Pfahlbautenfunde in der Nähe von Malcesine und Pai, am Ledrosee und im Tennotal zeugen ebenso wie Felszeichnungen an den Hängen des Monte Baldo (z. B. bei Torri) von prähistorischen Kulturen.

um 1000 v. Chr. besiedeln Ligurer den Westen Oberitaliens, den Osten die Veneter.

6. Jh. v. Chr. Bedrängt von Etruskern, ziehen sich die Veneter zurück.

5. Jh. v. Chr. Besiedlung durch gallische Cenomanen, die u. a. Verona und

Römische Münze mit dem Bildnis Caesars

Brixia (Brescia) gründen. ›Benacus‹, der alte Name des Gardasees, soll auf diese Kelten zurückgehen.

2. Jh. v. Chr. Gründung der römischen Provinz Gallia Cisalpina. Anomannen und Veneter arrangieren sich mit dem Römischen Reich.

101 v. Chr. Kimbern und Teutonen dringen durch das Etschtal nach Oberitalien vor.

89 v. Chr. Verona wird römische Kolonie und erhält damit neue Rechte. 49 v. Chr. erlangen die Einwohner der Stadt das römische Bürgerrecht.

59–49 v. Chr. Caesar ist Statthalter der Provinz Gallia Cisalpina. Verona wird zu einem strategisch wichtigen Kreuzungspunkt an der Via Gallia von Brixia (Brescia) zur Adria und der Via Claudia Augusta von der Etsch über die Alpen nach Norden. Zur Sicherung der Via Claudia Augusta wird Trient, eine Gründung von Cenomanen aus dem 5. Jh., zur Militärstation ausgebaut. 46 n. Chr. erhalten die Bewohner des Trentino römische Bürgerrechte.

4. Jh. n. Chr. Das Christentum breitet sich fortschreitend an den Ufern des Gardasees und der umliegenden Provinzen aus. In Verona gelingt dem Bischof San Zeno (gest. 372) eine durchgreifende Christianisierung.

395 n. Chr. Teilung des Römischen Reiches in Westrom und Ostrom; Norditalien fällt an das Weströmische Reich.

401 n. Chr. Einfälle der Westgoten unter Alarich.

403 n. Chr. Belagerung Veronas durch Alarich, die jedoch abgewehrt wird.

452 n. Chr. Attilas Heere erobern Verona und verwüsten die Stadt. Papst Leo I. trifft sich mit dem Hunnenkönig in Peschiera; die asiatischen Reiterscharen ziehen sich auf sein Drängen zurück.

476 n. Chr. Der Germane Odoaker – ein Söldnerführer westgotischer Abstammung – ernennt sich zum römischen König.

493 Sieg des Ostgotenkönigs Theoderich (Dietrich von Bern) über Odoaker. Bis zu seinem Tod 526 residiert der Kö-

Der Ostgotenkönig Theoderich trat das Erbe des untergegangenen Römischen Reiches an

Wappen des Geschlechts der Scaliger mit der Leiter (scala)

nig abwechselnd in Ravenna und Verona. Er regiert das Weströmische Reich bis zu seinem Tod im Jahre 526.

568 Die Langobarden dringen mit ihrem Führer Alboin in Oberitalien ein. Verona wird Sitz der langobardischen Fürsten und Könige.

773–74 Karl d. Gr. erobert das langobardische Reich und verleiht seinem Sohn Pippin den Königstitel von Italien. Die Mark Verona, zu der auch der Gardasee gehört, wird gegründet. Die häufige Anwesenheit Pippins verleiht Verona den Charakter einer Hauptstadt.

ca. 800 Am Ostufer des Gardasees hat sich ein Gebiet eigener Gerichtsbarkeit gebildet, die ›Corte di Garda‹. Ab 849 zunehmende Unabhängigkeit von Verona.

888–962 Das Erstarken einheimischer Vasallenfürsten bringt eine Zeit politischer Wirren und Kämpfe.

888–924 Der Langobardenkönig Berengar I. versucht die Wiedererrichtung eines italienischen Königreiches, wird von den Burgundern besiegt und in Verona ermordet.

951 Die Wirren in der Nachfolge Berengars rufen Otto I. auf den Plan. Er besetzt Oberitalien und wird 962 vom Papst gekrönt. Die deutschen Kaiser betrachten hinfort Italien als legitimes Erbe. Die Mark Verona und der Gardasee fallen an das Herzogtum Bayern.

976 Reichstag in Verona unter Otto II., es entstehen unabhängige Stadtstaaten, die sich aus dem Joch der Fürsten zu lösen versuchen. Die Bürger der Städte übernehmen nun selbst die Regierung. Nur in den Marken, in Friaul, Verona und Tuscien herrscht vorerst noch der Feudaladel. Beginn der Kämpfe zwischen kaisertreuen Ghibellinen und papsttreuen Guelfen.

1435 transportieren die Venezianer Galeeren über den Paß von Nago zum Gardasee

Kaiser Otto II. hält 976 Reichstag in Verona

ab 1000 Die erstarkenden italienischen Stadtstaaten lösen sich mehr und mehr aus dem Joch der Fürsten.

1154 – 1183 Kriegszüge Kaiser Friedrich Barbarossas gegen die lombardischen Städte, die inzwischen große Macht erlangt haben. Auch die Ortschaften am östlichen Ufer des Gardasees werden in Mitleidenschaft gezogen. Im Etschtal wird die Veroneser Klause von den Kaiserlichen gestürmt. Dagegen behaupten sich Garda und Torri 1158 gegen die kaiserlichen Heere.

1163/64 Gründung der Veroneser Liga gegen den Kaiser.

Seine Familie prägte die Region um den Gardasee: Cansignorio della Scala

1168 Die oberitalienischen Städte schließen sich zum Lombardischen Bund zusammen und vereinen sich mit der Veroneser Liga.

1176 Sieg des Städtebundes über Barbarossa bei Legnano.

1183 Frieden von Konstanz: die Städte des Lombardischen Bundes erhalten weitgehend Selbstverwaltung.

1227 – 1259 Heftige Auseinandersetzungen zwischen Guelfen und Ghibellinen, die vor allem in Verona zu blutigen Kämpfen führen. 1226 ist Ezzelino da Romano, ein Verbündeter Friedrichs II., in Verona als ›Podestà‹ an die Macht gelangt. 1258 gelingt es ihm, Brescia zu erobern.

1260 – 1387 Die guelfischen Adelsfamilien Veronas verbinden sich gegen Ezzelino und werden von Mantua, Ferrara sowie Papst Innozenz IV. unterstützt. Nach Ezzelinos Niederlage in der Schlacht von Cassano d'Adda gelangt Mastino della Scala 1259 an die Macht. Mit ihm beginnt die lange Herrschaftsperiode der Scaliger in Verona. Im Wappen tragen sie als Emblem eine Leiter (*scala*). Verona und die Region Gardasee erleben unter ihrer Regierung eine große Blütezeit. Unter Cangrande della Scala (1311–1329) werden die Ghibellinen zur wichtigsten politischen Stütze des Kaisers in Oberitalien.

1387 – 1405 Die von Tyrannei und Brudermord begleitete Herrschaft der letzten Scaliger endet 1387 mit der Flucht Antonio della Scalas. Das Mailänder Geschlecht der Visconti bemächtigt sich Veronas und des Gardasees.

1405 Venedig entreißt dem Erzrivalen Mailand Verona und die veronesischen Marken und gliedert sie seinem Besitz auf der *Terra ferma*, dem Festland, an.

1428 Die Republik Venedig erobert auch Brescia, das bis 1797 unter der Herrschaft des ›Löwen von San Marco‹ bleibt.

1437 Der Konflikt Venedigs mit den Visconti führt zu einem Seekrieg auf dem Gardasee. Venedig schafft 6 Galeeren und 25 Barken von der Etsch über den Paß von Nago nach Torbole .

1521 Riva geht an den Kaiser verloren und wird dem Fürstbistum Trient angegliedert.

1796 Napoleon erobert die Lombardei und Venetien; damit ist das Ende der venezianischen Republik besiegelt.

1797 Frieden von Campo Formio: Das westliche Ufer des Gardasees fällt an die von Napoleon gegründete Cisalpinische Republik, das Ostufer und Verona werden österreichisch.

1805 Im Frieden von Preßburg muß Österreich Venetien an das von Napoleon gegründete Königreich Italien abtreten; Trient fällt an Bayern.

1814–1815 Der Wiener Kongreß verfügt nach Napoleons Sturz, daß das Veneto und die Lombardei wieder Österreich zugeteilt werden.

Die ersten vier Präsidenten der Republik Italien

1848–1870 Die italienische Einigungsbewegung – das Risorgimento – bringt eine Zeit blutiger Kämpfe und Wirren im Verlauf der italienisch-österreichischen Kriege von 1859 (Schlacht von Solferino) und 1866 (Schlacht bei Custoza).

1861 Vittorio Emanuele II. von Sardinien wird mit Billigung des ersten italienischen Parlaments König von Italien.

1866 Die Lombardei und das Veneto werden an das neugegründete Königreich Italien abgetreten. Das Trentino mit Riva bleibt bei Österreich.

1870 Einigung ganz Italiens; Rom wird Hauptstadt.

1918 Im 1. Weltkrieg erbitterte Kämpfe der Italiener gegen die Österreicher, vor allem bei Rovereto.

1919 Im Frieden von Saint Germain muß Österreich auch das nördliche Ufer des Gardasees und Trient an Italien abgeben.

1943 Benito Mussolini, Verbündeter Hitlers im 2. Weltkrieg, gründet nach seinem Sturz in Rom in Salò am Gardasee eine faschistische Republik, die jedoch von der deutschen SS kontrolliert wird. Inzwischen rücken die Alliierten von Süditalien nach Norden vor.

1945 Auf der Flucht in die Schweiz wird der ›Duce‹ am Comer See von kommunistischen Partisanen erschossen und der Leichnam in Mailand öffentlich aufgehängt.

1946 Italien wird zur Republik ausgerufen.

1948 Trient wird ebenso wie Südtirol eine autonome Provinz mit Landesrat und Landesregierung.

1955 Gründung der Comunità del Garda, einer Institution, die sich provinzübergreifend um die wirtschaftlichen und touristischen Belange der Gemeinden rund um den See, in den Bergregionen und einem Teil des Minciotals kümmert.

1970 Einteilung des italienischen Staates in 20 Regionen. Beginn einer wachsenden touristischen Entwicklung im Gebiet rund um den Gardasee.

1977 Planung und Bau eines großangelegten Kanalsystems zur Reinhaltung des Gardasees. In Peschiera entsteht eine zentrale Kläranlage für die Abwässer der Seegemeinden. Kleinere Kläranlagen werden in Torbole, Riva, Limone, Tremosine und Tignale gebaut.

1982 In Trient beginnen grundlegende Restaurierungsarbeiten, die der Stadt in den folgenden 15 Jahren ihren alten Glanz wiederverleihen.

1960–1990 Der Tourismus breitet sich im Gardaseegebiet kontinuierlich aus. Von ca. 2,2 Mio. Gästen 1960 erreicht er bis zu 4,5 Mio. im Jahr 1990. Dabei steigt vor allem der Anteil ausländischer Urlauber (61,4% Deutsche). Diese Entwicklung führt logischerweise auch zu einem starken Anstieg der Beherbungskapazitäten.

1996 Seit Beginn der neunziger Jahre ist die Entwicklung des Tourismus Schwankungen unterworfen, die mit der allgemeinen wirtschaftlichen Lage Italiens und der Herkunftsländer der Gäste zusammenhängt. Inzwischen besinnt man sich auf mehr Qualität statt Quantität.

Gardesana orientale – Traumlandschaft zwischen See und Olivenhainen

Fjordartig schiebt sich der Gardasee an seinem nördlichen Ende zwischen das Gebirge. Südlich von Riva und Torbole fallen auf beiden Seiten steile Felswände in den See, die von Gletschern glattgeschliffen wurden und nur schwer zu überwinden sind. Über Jahrhunderte gab es nur Saumpfade, die mühsam und gefahrvoll zu begehen waren. Erst nach dem Abzug der österreichischen Truppen aus dem Trentino 1918 machte man sich daran, **Straßen** zu bauen. Die Gardesana orientale am Ostufer war 1929 fertiggestellt, die Straße am Westufer, Gardesana occidentale, erst zwei Jahre später. Bis dahin dienten Boote als Verkehrsmittel, mit denen man von einer Ortschaft zur anderen gelangte, was unter Umständen recht gefährlich und abenteuerlich sein konnte, denn die heftigen Winde des nördlichen Gardasees darf man nicht unterschätzen.

Durch die unterschiedlichen Wärmegrade von Wasser und Gebirge bilden sich die regelmäßig über den See wehenden **Winde**. Am Vormittag fällt der Tramontana oder Sover aus dem Gebirge im Norden herab. Um die Mittagszeit, nach einer kurzen Pause, kommt die Ora auf, die aus dem Süden nach Norden weht. Stürmisch und tückisch können die Winde sein, die aus den

Vorhergehende Doppelseite: *An der Punta San Vigilio zeigt sich der Gardasee von seiner schönsten Seite*

Seitentälern und von den Hügeln im Süden herabfallen. Bei starken Stürmen muß sogar die Schiffahrt eingestellt werden.

Die **Gardesana orientale** führt auf einer Länge von 65 km am Ostufer des Gardasees entlang. Sie verbindet Torbole im Norden mit Peschiera im Süden. Wie Perlen reihen sich die Ortschaften mit kleinen Häfen, krummen Gassen und bunten Häusern am Ufer entlang. Man nennt diese Strecke auch **Riviera degli Olivi**, denn die jahrhundertealten Olivenbäume, die sich selbst noch an die steilsten Abhänge klammern, sind gewissermaßen die Wahrzeichen des östlichen Gardaseeufers. Kontrastreich und vielfältig ist die Landschaft zwischen See und Bergen. Die silbern schimmernden Olivenhaine, die mediterrane Vegetation des Ufers verliert sich mit zunehmender Höhe, um der einzigartigen und charakteristischen Flora des **Monte Baldo** Platz zu machen, der die Alpenlandschaft des Trentino mit der Veroneser Ebene verbindet und mit seinem gewaltigen Rücken den Gardasee vom Etschtal trennt. Dank der Vielfalt seiner Blumen, Pflanzen und Kräuter nennt man ihn ›Hortus Europae‹. Viele der hier anzutreffenden Gewächse sind endemisch: Da die Gipfelregionen während der Eiszeiten frei von Vergletscherungen blieben, konnten sich Pflanzenarten erhalten, die im übrigen Alpenraum nicht vorkommen, wie beispielsweise die wilden Pfingstrosen oder die Baldoanemonen. Der ganze, dem Süden zugewendete Kalkrücken des Monte Baldo gleicht daher einem riesigen Alpengarten.

Torbole am Nordende des Gardasees; diese Landschaft inspirierte Goethe zu seiner ›Iphigenie‹

Die Bucht von Torbole lockt mit ihren starken Winden die Surfer an

1 Torbole

Ein Dorado für Segler und Surfer.

Das ehemalige Fischerdorf breitet sich an der Mündung der Sarca in einem sonnigen Talgrund zwischen der schroffen Felsbank des Monte Brione (374 m) und den Ausläufern des Monte Baldo aus. Als Goethe hier am 12. September 1786 eintraf, bot sich der Ort noch als verträumtes Nest mit einem malerischen Hafen zu Füßen des schützenden Berghanges. Das Zollhäuschen an der Hafenmole erinnert an den Aufenthalt des Dichters, ebenso ein Medaillon am Albertihaus im Ortskern. Im Zollhaus soll Goethe mit der Umarbeitung der schon 1779 beendeten ›Iphigenie auf Tauris‹ begonnen haben. Die Dichtung, die er selbst als »höckerig« und »übelklingend« bezeichnete, sollte hier verbessert werden. Die italienische Landschaft als Abglanz des klassischen Griechenland erschien ihm als geeigneter Ort für neue Inspirationen. »Am Gardasee ... zog ich die ersten Linien der neuen Bearbeitung.«

Bei Nago: Geschützt durch die Berghänge gedeihen Weinreben im Sarcatal

Von der Beschaulichkeit zu Goethes Zeiten ist heute nichts mehr zu spüren. Torbole ist zu einem quirligen Platz für Surfer geworden, die die von den Höhen von Nago einfallenden starken Winde nutzen. In den Straßen entlang der Uferpromenade parkt Auto an Auto, drängen sich Sportler und Schaulustige, denn der Anblick der bunten, kunstvoll über den See flitzenden Segel vor der grandiosen Bergkulisse hat zweifellos einen besonderen Reiz.

Ruhiger, altertümlicher erscheint der über Torbole angesiedelte Ortsteil **Nago** mit verwinkelten Gassen und pittoresken Häuserzeilen.

Sehenswert sind die nahe der Straße nach Arco gelegenen **Marmitte dei Giganti** (der Fußpfad dorthin ist ausgeschildert), runde, in den Fels tief eingeschliffene Gletschermühlen aus der Eiszeit. Auf einem kahlen, über den See vorspringenden Fels steht unweit von Nago die Ruine des einst mächtigen **Castello Penede**. Es bewachte bis zu seiner Zerstörung durch die Franzosen 1703 die strategisch wichtige Zugangsstraße zum See. Ehemals war diese Burg von den Familien der Castelbarco, der Arco und der Bischöfe von Trient heftig umkämpft; später fiel sie in die Hände der Venezianer. Ein Ausflug zu der Ruine lohnt sich wegen der weiten, malerischen Aussicht über den Gardasee und die umliegenden Ortschaften.

Praktische Hinweise

Tel.-Vorwahl Torbole: 04 64
Information: IAT-Ufficio Informazioni Torbole, Via Lungolago Verona, 19, Tel. 50 51 77, Fax 50 56 43

Hotels und Restaurants
**** **Hotel Lido Blu**, Via Foci del Sarca, Tel. 50 51 80, Fax 50 59 31. Modernes Surfhotel direkt am See.

**** **Piccolo Mondo**, Tel. 50 52 71, Fax 50 52 95. Ganzjährig geöffnet, nahe dem See, vor allem für Sportfans.

** **Villa Gloria** – Albergo Garni, Via Marocche, 1, Tel. 50 57 12, Fax 50 62 47. Sympathisches modernes Haus oberhalb des Ortes mit Schwimmbad, Frühstücksbüfett.

La Terrazza, Via Benaco, 14, Tel. 50 60 83. Stimmungsvolles Restaurant nahe dem See, empfehlenswerte Fischgerichte

Der Schiffstransport über Land

Der Paß San Giovanni zwischen dem Etschtal und Torbole ist durch ein besonderes Ereignis in die Geschichte eingegangen.

1437 lagen die **Venezianer** *mit den* **Visconti** *von Mailand in einem erbitterten Krieg. Brescia, das Venedig gehörte, war von Mailändischen Truppen eingeschlossen. Um der Stadt zu Hilfe zu kommen, gab es nur den Weg über den Gardasee, wo die Mailänder jedoch Riva besetzt hielten. Den Venezianern blieb nur der Weg über das Gebirge, da der Wasserweg im Süden über den Mincio von den Visconti durch die gewaltige befestigte Brücke bei Valeggio gesperrt war.* **Nicolo Sorbolo** *entwickelte den abenteuerlichen Plan, Galeeren und Boote über das Gebirge nach Torbole zu schaffen, um von dort aus die Visconti anzugreifen.*

Der Chronist und Historiker **Sebellico** *hat das Unterfangen geschildert: »Er verbrachte also die Boote (von der Adria) die Etsch hinauf bis Verona; nachdem er Ochsen ins Joch gelegt, brachte er sie unter enormer Mühe zu einem Ort, der Mauro (Mori) genannt wird ...«. Sebellico schildert dann, wie die Schiffe über den Loppiosee gebracht und unter größten Schwierigkeiten den Paß hinaufgeschafft wurden. Nicht minder schwierig war der steile Abstieg zum Gardasee. »Und ich habe diesen Ort (den Paß) oftmals nicht ohne großes Erstaunen betrachtet, und niemand hätte mich davon überzeugen können, daß so großes Gewicht durch diese Wildnis des Bergs hätte gezogen werden können ...«.*

Nachdem 6 Galeeren, 2 Galeonen und 26 Barken auf den See gesetzt worden waren, kam es am 20. 11. 1439 zum Gefecht mit den Mailändern, die einen Teil der venezianischen Flotte versenkten. Neue Schiffe mußten – diesmal vor Ort – gebaut werden. Die Entscheidungsschlacht konnten die Venezianer im April 1440 jedoch für sich gewinnen. Bei Riva besiegten sie die Flotte der Visconti und nahmen Riva ein. Damit hatten sie die Herrschaft über den Gardasee gewonnen.

Malcesine: zwischen See und dem Massiv des Monte Baldo gelegen

2 Malcesine

Ein mittelalterlicher Ort mit Scaligerburg, in der der ahnungslose Goethe beinah als Spion verhaftet worden wäre.

Seiner schönen Lage und seines romantischen Ambientes wegen ist dieser Ort einer der beliebtesten am See, allerdings auch einer der touristisch am meisten überlaufenen. Die beeindruckendste Aussicht hat man, wenn man sich dem Ort mit seiner auf einem Kalkfelsen thronenden **Burg** per Schiff vom See aus nähert. Malcesine kam durch Goethes Beschreibung zu literarischem Weltruhm. Daß er beinahe als österreichischer Spion verhaftet wurde, als er eine Skizze der Burg zeichnete, schildert er ausführlich in seiner ›Italienischen Reise‹. Diese Geschichte hat Malcesine im nachhinein zu einem besonderen Renommee verholfen. Das **Ortsbild** Malcesines mit einem Gewirr mittelalterlicher Gassen, reizvoller Häuserfronten und einem bunten, malerischen Hafen hat zweifelsohne einen besonderen Reiz. Eine Unzahl von Boutiquen und Souvenirläden verfremdet freilich das alte gewachsene Ortsbild.

Geschichte Der **Burgfelsen**, um den sich der alte Ort gruppiert, ragt unvermittelt aus den engen Gassen auf. Die Anfänge der Besiedlung verlieren sich in grauer Vorzeit. Erste historische Funde stammen aus der Römerzeit. Im 5. Jh.

christianisierte der Trienter Bischof Vigilio die Bewohner am Seeufer. Der erste Burgbau fand unter den Langobarden um 568 statt. 590 wurde die Anlage zerstört und von den Franken unter Karl dem Großen wiederaufgebaut. 774 wurde sein Sohn Pippin in Verona zum italienischen König ernannt; er kam 806 auch nach Malcesine, um zwei auf dem Monte Baldo hausende Heilige zu besuchen. Nach dem Ende des Frankenreiches fielen Ort und Burg Malcesine zunächst an den Bischof von Verona, später an die Scaliger. Sie erweiterten die Burg und bauten jene Anlage, die heute noch stolz und eindrucksvoll über dem See thront. Mastino II. gründete schließlich die ›*Capitanato del Lago*‹, einen Seebund, der von den Visconti, den Carrara von Padua und von Venedig anerkannt wurde. Unter der venezianischen Herrschaft hatte der Seebund seinen Hauptsitz im **Palazzo dei Capitani** am Hafen. Der Capitano residierte abwechselnd in Garda, Torri und Malcesine als venezianischer Gouverneur.

Später entstand die ›*Gardesana dell' Acqua*‹, eine autonome Föderation von zehn Gemeinden, die sich dazu verpflichtet hatten, die Grenzen der Gardesana zu verteidigen. Beide Einrichtungen blieben bis zum Ende der venezianischen Herrschaft (1797) bestehen.

Besichtigung Der **Palazzo dei Capitani**, der schon Ende des 13. Jh. von den

Scaligern für ihren Statthalter erbaut worden war, wurde im 15. Jh. im Stil der venezianischen Gotik modernisiert. Betritt man den Palast durch die unteren offenen Gewölbe, gelangt man in einen kleinen, mit Palmen bewachsenen Garten am Ufer des Sees. Hier befand sich die Anlegestelle der Barke des Capitano. Die Front des Gebäudes zeigt sich auf dieser dem See zugewandten Seite als eine repräsentative, mit Balkonen und Galerien reichverzierte, typisch venezianische Fassade. Im oberen Stock, dem piano nobile, liegen die Repräsentationsräume des Capitano, deren Ausstattung mit Malereien und Fresken noch erhalten ist. Durch die Fenster des Saales öffnet sich ein unvergleichlicher Blick über den See. Da in dem Palast heute das Rathaus der Stadt untergebracht ist, sind die Räume öffentlich nicht zugänglich. Innenhof und Garten können jedoch von 9 – 22 Uhr besichtigt werden.

Das **Castello Scaligero**, die Scaligerburg, erreicht man von der Stadt her durch das sog. *Sarazenentor.* Drei ummauerte Höfe bilden die guterhaltene Anlage, die durch ein ausgeklügeltes System von Treppen und Rampen verbunden ist und die Verteidigung der Burg garantierte.

Im untersten Hof steht der *Palazzo Inferiore*, den 1620 Venedig für seine Garnison erbauen ließ. In diesem ›Casermetta‹ genannten Gebäude befinden sich zwei Naturkundemuseen: *Museo del Bal-*

do und *Museo del Garda.* Sie sind der vielfältigen Flora, Fauna und der Geologie des Monte Baldo sowie der Tier- und Pflanzenwelt des Gardasees gewidmet. Über eine Treppe erreicht man den zweiten Hof, den die ehemalige Pulverkammer der Österreicher begrenzt. In ihr ist ein kleines *Goethe-Museum* untergebracht, in dem auch die Skizzen zu sehen sind, die Goethe von dem Kastell zeichnete und derentwegen er beinahe verhaftet worden wäre. In einem kleinen Garten vor dem Museum wurde eine bronzene *Büste des Dichters* aufgestellt.

Die alte Kernburg mit Palas und Bergfried der Scaliger erreicht man über den letzten Hof. Beachtung verdienen hier vor allem die alte Zisterne sowie das guterhaltene *Fresko* einer thronenden Muttergottes an der Nordostwand im spätbyzantinischen Stil.

Der *große Saal* des Palas im 1. Stock ruht auf pfeilergestützten Bögen. Er dient heute als Kongreßsaal und Ausstellungsraum. Im Erdgeschoß ist ein sehenswertes *Fischereimuseum* untergebracht sowie eine interessante Darstellung zum Transport der venezianischen Kriegsschiffe über den Paß von Nago zum Gardasee (1435) [vgl. S. 21].

Der fünfeckige *Turm,* der 70 m über den See aufragt, war ursprünglich durch eine Zugbrücke im 2. Geschoß begehbar. Dieser Bauabschnitt stammt noch aus langobardischer Zeit. Die weiteren Stock-

Die charakteristischen Zinnen der ghibellinischen Burganlagen bekrönen auch den Turm des Kastells von Malcesine

Beinahe wäre Goethe auf der Burg als Spion verhaftet worden. Die Büste des Dichters erinnert an seinen Besuch 1786

werke entstanden später. Von der obersten, offenen Plattform des Turmes öffnet sich ein wunderschöner Ausblick auf die zinnengeschmückte Burganlage, die Dachlandschaft des alten Malcesine und auf den See mit dem umliegenden Bergpanorama.

Öffnungszeiten: 1. April – 31. Okt. 9.30 – 19 Uhr, im Winter: 9.30 – 18 Uhr

Die **Pfarrkirche Santi Benigno und Caro** liegt oberhalb des alten Ortskerns. Die Barockkirche des frühen 18. Jh. bewahrt ein sehenswertes Altarbild der Grablegung von Gerolamo dai Libri.

Südlich des von Cafés und Restaurants belebten Hafenbeckens beginnt die beliebte **Strandpromenade**, gesäumt von einer Vielzahl mittelmeerischer Pflanzen, wie Palmen, Oleander, Mimosen und Zedern. Vor der Landzunge, wo das **Val di Sogno**, das Traumtal, in den Gardasee mündet, liegen die kleinen, dichtbewaldeten Inseln *Isola dell'Olivo* und *Isola di Sogno*.

Von Malcesine führt eine Seilbahn auf das **Monte-Baldo-Massiv**, dessen verschiedene Gipfel lohnende Wanderziele sind. Die Bergstation **Bocca Tratto Spino** liegt in 1783 m Höhe. An klaren Tagen bietet sich von hier aus ein unvergleichlicher Blick über den See und die Alpen.

Fahrzeiten der Seilbahn: halbstündig 8 – 18 Uhr

Wanderung über den Monte Baldo

Der Monte Baldo erstreckt sich von Norden nach Süden zwischen dem Passo San Giovanni und Costermano, von Westen nach Osten zwischen Gardasee und Val Lagarina. Einen einzelnen Gipfel ›Monte Baldo‹ gibt es nicht. Der Kamm des Bergmassivs reicht vom Monte Altissimo di Nago (2078 m) bis zum Monte Maggiore (›Punta Telegrafo‹, 2200 m), von wo er allmählich nach Süden hin in den Hügeln ausläuft.

Der Weg über den Hauptkamm des Monte-Baldo-Massivs beginnt bei der Bergstation der **Seilbahn von Malcesine** *(1752 m) und führt gut erkennbar ausgezeichnet (Wg Nr. 651) nach Süden. Nach der Überquerung der Bocca di Tratto Spino steigt man zur Cima delle Pozzette (2132 m) auf, deren Westseite schroff zum See hin abfällt (ca. $1^1/_2$ Std.).*

Über die Cima del Longino, von wo man auf Malcesine herabblickt und sich von den Perspektiven auf das Kar des Val Finestra beeindrucken läßt, erreicht man nach 2 – 3 Std. die **Cima Valdritta** *(2218 m), den großartigsten Punkt des Monte Baldo. Atemberaubend die Aussichten auf den Gardasee! Die Cima Valdritta liegt etwas abseits der Hauptroute, zu der man nun zurückkehrt. Ein bequemer Weg führt entlang des Grates bis zur Abzweigung rechts zum Monte Maggiore, auch ›Punta Telegrafo‹ genannt (2200 m). Von dort erreicht man nach kurzem Abstieg die bewirtschaftete Schutzhütte* **›Rifugio Gaetano Barana‹** *(2147 m).*

Die Gehzeit hin und zurück beträgt etwa 6 – 8 Std. Je nach Kondition empfiehlt es sich, die Route abzukürzen und zur Seilbahn zurückzukehren. Reizvoll bei dieser Wanderung ist der Gegensatz zwischen den sanft nach Osten abfallenden, grünen Almabhängen und den schroff abstürzenden Felsgraten im Westen. Der Fremdenverkehrsverband ›Riviera degli Olivi‹ hat eine Wanderkarte ›Monte Baldo/Malcesine‹ aufgelegt, die man bei den Touristinformationen erhält.

Praktische Hinweise

Tel.-Vorwahl Malcesine: 0 45
Information: IAT-Ufficio Informazioni Malcesine, Palazzo dei Capitani, Tel. 7 40 00 44, 7 40 95 55, Fax 7 40 16 33

Hotels und Restaurants

**** Park Hotel Querceto, Località Campiano, Tel. 7 40 03 44, Fax 7 40 08 48. Luxuriöses Haus im rustikalen Stil in sehr schöner Lage über dem See; Feinschmeckerrestaurant, das die Küche der Region pflegt.

**** Tennis Center Hotel Olivi, Val di Sogno, Tel. 7 40 04 44, Fax 7 40 06 02. Modernes Sporthotel in schönem Olivenpark gelegen; speziell für Tennisfans, 9 Plätze (2 Hallen), Trainingscenter, Schwimmbad.

*** Hotel Reporter, Lungolago, Tel. 7 40 05 60, Fax 6 57 01 14. Renovierte, stilvolle Liberty-Villa in schattigem Garten direkt am See; Gourmetrestaurant.

3 Brenzone

Eine Reihe alter und idyllischer Dörfer abseits der Hauptstraße.

Die Gemeinde Brenzone besteht aus mehreren kleinen Orten, die teils am See, teils den Hang hinauf angesiedelt sind. Es sind dies die Dörfer **Magugnano**, **Porto**, **Marniga** und **Castelletto**. Jenseits der Durchgangsstraße kann man in den alten Dorfkernen noch ruhige Gassen und Plätze finden, in denen sich das Flair der alten Fischerdörfer erhalten hat. Steigt man zwischen den Olivenhainen weiter hinauf, öffnen sich großartige Ausblicke über den See und das Gebirge. Der Massentourismus hat hier noch nicht Einzug gehalten. Er konzentriert sich um die kleinen Häfen, die sich am Seeufer ausbreiten. Wenig entfernt vom Ufer liegt die kleine **Insel Trimellone**, die im 10. Jh. von den Küstenbewohnern befestigt wurde. Heute sieht man nur noch die Ruinen eines Pulvermagazins der Österreicher.

Vor der Küste von Brenzone erreichte der Forscher Jacques Picard mit seinem Unterseeboot Forel 350 m Tiefe. Eine der ältesten Kirchen des Gardasees ist **San Zeno** bei Castelletto. Sie geht auf das 12. Jh. zurück. Drei Apsiden schließen die zweischiffige Basilika ab, die im Innern einen Freskenzyklus aus dem 13. Jh.

aufweist, der Johannes dem Täufer gewidmet ist. Kirche und Turm sind aus behauenen Quadersteinen errichtet. Im Volksmund heißt sie ›San Zen de l'oselet‹ – San Zeno vom Vögelchen. Der Name bezieht sich auf den Hahn, der die Kirchturmspitze ziert und von Ferne einem Vogel gleicht.

Von besonderer Schönheit sind die Olivenhaine, die über dem von engen Gassen durchzogenen Dorfkern an den Hängen des Monte Baldo gedeihen und von uralten Natursteinmauern umgeben sind.

Praktischer Hinweis

Restaurant
Alla Fassa, Via M. G. Nascimbeni, Tel. 7 43 03 19. Schöner Garten direkt am See; köstliche Fischspezialitäten.

4 Torri del Benaco

Reizvoller Ort mit mittelalterlichem Gepräge.

Torri, das noch den alten Namen des Gardasees trägt, gehört zu den schönsten Orten der Gardesana orientale. Es liegt auf einer Landzunge, die in den See hineinragt und einen freien Blick auf die beiden Landschaften der nördlichen und der südlichen Seehälfte gewährt. Tief schiebt sich der Fjord nach Norden in die markante Bergkulisse, während sich im Süden eine anmutige Seenlandschaft öffnet, die von sanften Hügeln begrenzt wird. Der Monte Baldo verliert nun seine beeindruckende Höhe und läuft in einer Hügelkette aus, die nur noch 800 – 900 m erreicht.

Torri del Benaco ist vergleichsweise ruhig geblieben, und der mittelalterlich anmutende Ort erscheint äußerst reizvoll mit seinen engen, gewundenen Gassen, die immer wieder malerische Durchblicke zum See zulassen. Das Hafenbecken ist in seiner ovalen, tief in den Ort eingeschnittenen Form, mit bunten Booten und Yachten eine der reizvollsten Marinas am See. Von hier zieht sich die Uferpromenade bis zur *Punta Cavallo* hin, ein hübscher Spazierweg zwischen dem blauschimmernden Wasser und der abwechslungsreichen Häuserfront.

Geschichte Torri ist ein sehr alter Ort. Prähistorische Funde, Pfahlbauten und Felszeichnungen lassen auf eine Besiedlung schon vor 4000 Jahren schließen. Etwa zur gleichen Zeit wie Verona wurd

Den Charme vergangener Zeiten hat sich der Hafen von Torri del Benaco bewahrt

de Torri von den **Römern** kolonisiert. Aus dieser Epoche sind Teile des Ostturms der Burg sowie Überreste des ›Trincero‹, einer Zitadelle aus bossierten Steinen, neben der Pfarrkirche erhalten. Im frühen 10. Jh. baute der langobardische König **Berengar I.** die Zitadelle zu einer Burg aus. Nach dem Zerfall des fränkischen Reiches unternahm er noch einmal den Versuch, ein langobardisches Königreich zu errichten. 915 krönte der Papst ihn sogar zum Kaiser, doch währte seine Herrschaft nicht lange, zahlreiche Feinde verbündeten sich gegen ihn. Weil er sich in seinem Kastell in Verona nicht mehr sicher fühlte, nahm er seinen Sitz zeitweise in Torri del Benaco und ließ die Stadt mit Mauern und Türmen befestigen. Dennoch gelang es seinen Widersachern, ihn 924 in Verona zu ermorden. Teile der Stadtmauer sowie einer der Ecktürme der Anlage, der sog. *Berengar-Turm*, sind erhalten geblieben.

Im **Mittelalter**, zur Zeit der **Scaliger**, erlangten Torri und das benachbarte Garda gewisse Privilegien für eine Selbstverwaltung. Der sich ausbreitende, von den Scaligern geförderte Handel brachte Torri Wohlstand und eine Zeit großer Blüte. Damals entstand das ansehnliche Stadtbild mit den schmalen Gassen und den verträumten Plätzen. Die Bewohner lebten vorwiegend von Schiffsbau, Fischfang und Marmorbruch. Zur Zeit der **venezianischen Herrschaft** wurde Torri Hauptsitz des ›Gardesana

dell'Acqua‹, der 10 Gemeinden des Veroneser Ufers angehörten. Die Versammlungen der Gardesana, an denen auch der Capitano del Lago teilnahm, fanden in dem heutigen Hotel Gardesana am Hafen statt. Der Speisesaal des Hotels war einst der Ratssaal.

Besichtigung Das **Hafenbecken** wird von einigen schönen mittelalterlichen Häusern gerahmt. Neben dem Hotel Gardesana, einem ansehnlichen Bau mit Arkaden und Loggien, befindet sich die Dreifaltigkeitskirche **Santa Trinità** aus dem 14. Jh. (heute Gefallenengedenkstätte). Sie ist mit sehenswerten *Fresken* aus der Schule Giottos ausgestattet. Neben einer Darstellung ›Christus in der Mandorla, umgeben von Evangelisten‹, einer Kreuzigung und einer thronenden Muttergottes verdient ein ›Abendmahl‹ neben dem Altar Beachtung. Trotz des schlechten Zustandes der Fresken läßt sich ihr spätbyzantinischer Stil erkennen, der in Verona bis ins 14. Jh. fortdauerte.

Unweit des Hafens erhebt sich die **Scaligerburg**, die Antonio della Scala 1383 auf den Resten einer römischen Befestigungsanlage und einem Kastell des Berengar errichten ließ. Von der mächtigen Anlage sind ein Wohngebäude und die mit ghibellinischen Zinnen geschmückte Außenmauer mit drei Türmen erhalten geblieben. Die Befestigungen zur Hafenseite sind jedoch zerstört.

Im Windschutz der Burgmauern gibt es eine **Limonaia**, ein Relikt der vielen Zitronenhaine, die ehemals an den Ufern des Gardasees gediehen.

Zu Beginn des 18. Jh. wurde die barocke Pfarrkirche **SS. Pietro e Paolo** gebaut. Von besonderem Wert ist die Orgel von Angelo Bonetti aus Desenzano.

Von Torri aus überquert eine **Autofähre** den See nach Maderno am Westufer. Jenseits der Gardesana orientale beginnt – unweit von Torri – eine außerordentlich reizvolle Landschaft. Silbern leuchtende Ölbäume ziehen sich den Berghang hinauf. Gärten mit Blumen und subtropischen Bäumen beleben das Bild. Unübertroffen ist der Blick von der Kirche von **Albisano** über Torri und den See bis hinüber zum anderen Ufer. Dunkle Zypressen setzen zwischen Häusern und Olivenkulturen südländische Akzente. Eine kleine Straße, die von Albisano weiter südlich verläuft, öffnet bezaubernde Aussichten auf die *Punta San Vigilio* und die *Baia delle Sirene* (Sirenenbucht). Hier oben, fern des lauten Durchgangsverkehrs der Hauptstraße, vermag man noch, den besonderen Reiz der Landschaft um den Gardasee zu erleben.

Von hier aus erreicht man auch die glattgeschliffenen Felsenhänge des **Monte Lúppia**, an denen man 1964 **prähistorische Felszeichnungen** entdeckte. Bei *Brancolino* sind der ›Pietra dei Cavallieri‹ und der ›Griselle-Felsen‹ zu besichtigen, in die die Menschen des Bronzezeitalters Figuren und Reiter, Waffen, Tiere und Boote sowie Sonnensymbole und rätselhafte geometrische Darstellungen eingeritzt haben. Diese Zeichnungen – zusammen mit dem ›Pietra Grande‹ bei Crer sind es annähernd 3000 – gehören zu den bedeutendsten Kulturzeugnissen dieser Art im Alpenraum.

Praktische Hinweise

Tel.-Vorwahl Torri del Benaco: 0 45
Information: IAT-Ufficio Informazioni, Via Gardesana, Tel. 7 22 51 20

Hotels und Restaurants

*** **Hotel Gardesana**, Tel. 7 22 54 11, Fax 7 22 57 71. Direkt am Hafen gelegen mit Blick auf die Scaligerburg; traditionsreiches, restauriertes Hotel mit illustren Namen im Gästebuch; empfehlenswertes Restaurant, dessen freundlicher Service angenehm auffällt.

*** **Hotel Europa**, Via d'Annunzio, 15, Tel. 7 22 50 86, Fax 6 29 66 32. Villa in einem stimmungsvollen Garten mit Blick auf den See; Schwimmbad.

Ristorante al Caval, Via Gardesana, 186, Tel. 7 22 56 66. Elegantes Restaurant, dessen Ravioli mit Baldo-Trüffeln besonders zu empfehlen sind (Montag Ruhetag).

Ristorante Galvani, Loc. Pontirola, Tel. 6 29 66 18. Die selbstgemachten Teigwaren sind hier besonders empfehlenswert.

5 San Vigilio

Heitere Harmonie zwischen Natur und Architektur.

Südlich von Torri del Benaco schiebt sich die **Punta San Vigilio**, der letzte Ausläufer des Monte Baldo, in den Gardasee. Kaum ein Ort am Seeufer wurde emphatischer besungen als diese Landzunge, die sich als ein gelungenes Gesamtkunstwerk von Natur und Architektur präsentiert.

Gegen Ende des 18. Jh. beschrieb der Kanoniker Marai den malerischen Platz: »An jenem Ort kennt man weder den trüben Dezember, noch den grausigen Februar. Der Lorbeer, die Myrte, die Orangen und die Aloe gediehen ganz von allein. ... Vielleicht gab es an den berühmtesten Orten des antiken Griechenland oder Italien keine Aussicht von größerer Heiterkeit als diese.«

Die ganze Anlage der Punta ist wohlüberlegt gestaltet und wirkt doch ganz natürlich. Man folgt, vom Parkplatz kommend, einer dunklen, von uralten Zypressen gesäumten Allee, die am Garten der auf der höchsten Stelle erbauten **Villa Brenzone** endet. Aus dem Dunkel der Zypressen tritt man jäh in die mediterrane Helle einer heiteren Gartenlandschaft vor der leuchtenden Kulisse des Sees.

Die Villa wurde zwischen 1538 und 1542 von dem Humanisten *Agostino Brenzone* gebaut. Der Entwurf stammt von dem berühmten Veroneser Baumeister *Michele Sanmicheli*. In ihrer schlichten Architektur mit Loggien und einem Portal zum See hin wirkt sie außerordentlich elegant, streng und zugleich vollendet. Ein **Park**, geschmückt mit Blumen und Statuen, führt terrassenförmig zum See hinab.

Punta San Vigilio: die Villa Brenzone am »schönsten Ort der Welt«

Brenzone hatte sich einen Ort geschaffen, wohin er sich mit seinem Freund *Aretino* und anderen Schriftstellern und Künstlern zurückziehen konnte, um in Schönheit, Einsamkeit und gelehrter Diskussion zu leben. Von ihm stammt auch der berühmte Diskurs über den »schönsten Ort der Welt«, der in keinem Reiseführer über diese Region fehlen darf: »Ich möchte, daß Eure Exzellenz zur Kenntnis nehmen, daß San Vigilio der schönste Ort der Welt ist, und zwar auf folgende Weise: Die ganze Welt besteht aus drei Teilen: Afrika, Asien und Europa. Der schönste Erdteil ist Europa, und davon ist Italien der schönste Teil, von Italien wiederum die Lombardei, und von dieser der Gardasee, und an diesem San Vigilio. Ergo ist San Vigilio der schönste Ort der Welt.«

Die Villa ist heute im Besitz der Familie des Grafen Guarienti di Brenzone und kann nicht besichtigt werden.

Auf der einen Seite der kleinen Halbinsel öffnet sich die liebliche Bucht **Baia delle Sirene**, gesäumt von einem romantischen Olivenhain, in dessen Schatten sich Tiere eines kleinen Landgutes aufhalten. Auf der anderen Seite liegt der winzige Hafen, zu dem man zwischen hohen Mauern über einen grob gepflasterten Weg gelangt. Man erreicht einen schmalen Platz, an dem die Locanda des Grafen – ein Restaurant und ein kleines Hotel – stehen und wo eine verträumte *Limonaia* ihren Duft verströmt.

Durch einen Rundbogen tritt man aus dem schattigen Platz hinaus in den lichtdurchfluteten **Hafen**. Tische und Stühle einer alten Taverne am Rande der Mole laden zur Rast ein. Weit öffnet sich hier der See in die Bucht von Garda; am anderen Ufer erkennt man Gardone, den Felsen von Manerba und die Bucht von Salò. Mit den Tageszeiten wechselt auch das Licht über dem Wasser. Unvergeßlich die Sonnenuntergänge an diesem Traumwinkel!

Neben der Locanda erhebt sich die kleine **Kirche San Vigilio** aus dem 13. Jh., die dem hl. Bischof Vigilio geweiht ist und der Punta ihren Namen gab. Die Schönheit dieses Ortes hat viele Persönlichkeiten angezogen. Die Namenliste der Prominenz, die in der Villa Brenzone weilte ist lang, sie reicht von Marie-Louise – der Gattin Napoleons – über Zar Alexander III., Churchill, Lawrence Olivier und Vivien Leigh bis zu Prinz Charles und König Juan Carlos von Spanien. Sie alle genossen die Ruhe, die unvergleichliche Harmonie zwischen Natur und Baukunst des »schönsten Ortes der Welt«.

Praktischer Hinweis

**** **Locanda Punta San Vigilio**, Tel. 7 25 66 88, Fax 7 25 65 51. Das romantische Haus mit stilvollem Restaurant verfügt nur über 8 Zimmer; Exklusivität wird hier bewußt gepflegt, was jedoch seinen Preis hat.

6 Garda

*Der venezianisch geprägte Ort hat eine
bewegte Geschichte.*

»Dort hinten erhebt Garda seine trutzige
Burg, über dem fließenden Spiegel, das
Märchen alter, versunkener Städte und
Königinnen der Barbaren singend.«

So schildert der italienische Dichter
und Literat Giosuè Carducci (gest. 1907)
die Rocca, die die Bucht von Garda beherrscht und über Jahrhunderte eine
Schlüsselstellung in Oberitalien einnahm. Die Königinnen der Barbaren –
Theodolinde und *Adelheid* – sind Haupt-
personen der zahlreichen Geschichten,
die sich hier zugetragen haben.

Geschichte Die Ursprünge der **Rocca**
reichen zurück bis in keltische Zeiten, als
sich auf dem flachen Berg über dem See
ein *Heiligtum* erhob. Zu Füßen des Berges fand man Reste eines *Pfahlbaudor-
fes.* Die spätere Burg ist vermutlich von
den Ostgoten erbaut worden. Im 5. Jh.
herrschte auf der Rocca *Hildebrand*, der

Heerführer Theoderichs d. Gr., der in
Verona residierte (siehe Verona, Geschichte). Der Legende nach ehelichte
die Bayerische Prinzessin *Theodolinde*
Ende des 6. Jh. den Langobardenkönig
Authari auf der Burg von Garda. Nachdem die Franken die Langobarden besiegt hatten und *Karl d. Gr.* seinen Sohn
Pippin in Verona als König eingesetzt
hatte, entstand die **Grafschaft Garda**,
die über das ganze Seegebiet herrschte
und ihm fortan den Namen gab. Schon in
den alten Sagen war die Burg ›Garden‹
genannt worden, was sich von dem germanischen ›warden‹ = Ausguck, Warte,
auch Wächter ableitet. Die Rocca war der
Wächter über den Benacus.

Die tragische Geschichte der **Adelheid**
spielte sich im 10. Jh. ab, als auf der Burg
von Garda *Berengar II.* von Ivrea herrschte. Nach dem Tod – wahrscheinlicher
jedoch der Ermordung – des jungen Königs Lothar von der Provence ver-
schleppte er dessen Witwe Adelheid auf
die Rocca, um sie mit seinem Sohn Adel-
bert zu verheiraten und damit seinen An-

Venezianische Architektur am See: der Palazzo dei Capitani in Garda

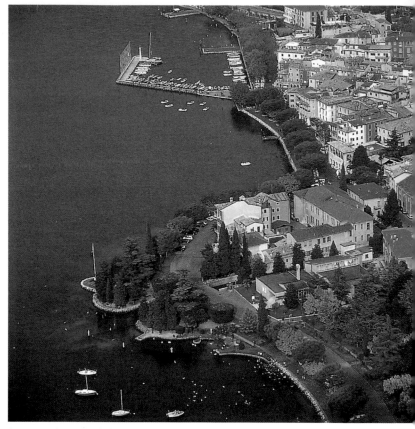

Anmutig schmiegt sich das Städtchen Garda in die weit ausschwingende Bucht

spruch auf die italienische Krone zu legalisieren. Adelheid widersetzte sich jedoch. Mit Hilfe eines Mönches und eines Fischers gelang es ihr, aus der Burg zu entkommen und über den See und weiter bis nach Canossa zu entfliehen. 951 heiratete sie *Otto d. Gr.*, der Berengar besiegte und die Herrschaft der deutschen Kaiser über Italien wiederherstellte. 1158 versuchte *Kaiser Friedrich Barbarossa* vergeblich, die Burg von Garda zu stürmen. Später kam sie in den Besitz der Scaliger von Verona, verlor jedoch mehr und mehr an Bedeutung und wurde im 16. Jh. vollständig zerstört.

Besichtigung Zu Füßen der finsteren Rocca, die sich 309 m über den See erhebt, öffnet sich die weite **Bucht**, an deren Rand sich das Städtchen Garda entwickelt hat. Im Norden schützt der *Monte Lúppia* die Bucht vor den rauhen Nordwinden, so daß sich am Ufer des Sees

eine üppige, vielfältige Vegetation entfalten konnte. Rasch können hier die Winde wechseln, und mit ihnen ändert sich auch die Farbe des Wassers von leuchtendem Blau zu tiefem Grün, von schimmerndem Silber zu bedrohlichem Schwarz.

Über Jahrhunderte war Garda ein malerisches Fischerstädtchen, bis der Tourismus begann und den Ort mit Geschäften, Lokalen und Sportangeboten veränderte. Das mittelalterliche Ortsbild – von zwei **Stadttoren** begrenzt – zeugt noch von längst vergangenen Zeiten.

Architektonisch ist Garda ganz dem *venezianischen Baustil* verpflichtet; bestes Beispiel ist der **Palazzo dei Capitani** am Hafen mit einer feierlichen venezianisch-gotischen Fassade des 15. Jh. Früher reichte das Hafenbecken bis an den Palast heran, so daß der Capitano seine Barke direkt vor der Haustür ankern konnte. Leider wurde die für die Orte am Gardasee typische, tief eingeschnittene

Bau wurde 1774 und 1830 barockisiert; von Interesse ist ein hölzernes Kreuz des 16. Jh. Rechts neben dem Portal erreicht man durch ein Tor den ehemaligen *Kreuzgang* aus dem 14. Jh. Bemerkenswert sind die im Turm eingelassenen langobardischen Skulpturen aus dem 8. Jh.: ein Lebensbaum, die Taube und der Engel, Symbolfigur des Evangelisten Matthäus. Die ungewöhnliche Lage der Pfarrkirche außerhalb der Altstadt läßt die Vermutung zu, daß sie auf dem Areal der früheren Burgkapelle errichtet worden ist.

Im 17. Jh. bauten auf dem der Rocca benachbarten Hügel Kamaldulenser ein Kloster, die **Eremo di San Giorgio**. Ein alter Weg führt von Garda hinauf in die Klause, die heute nur noch von zehn Mönchen bewohnt wird.

Die blauhaarige Engardina

*Ein Ausflug auf die Rocca lohnt wegen der schönen Aussicht über den See, dessen Ufer hier weit auseinanderliegen, und die Bucht von Garda. Sie gleicht einem paradiesischen Garten mit ihren hellen Kiesstränden inmitten des üppigen Grüns der vielfältigen Vegetation, der verschwenderischen Blütenpracht und den herrlichen Farbnuancen des Wasserspiegels. Hier oben mag man an die Legende von der Bergnymphe **Engardina** denken, deren Haupt leuchtend blaues Haar schmückte. Sie lebte als Herrin der Almen und eines kleinen Sees im Monte-Baldo-Massiv, und ihre Untertanen waren Zwerge. Eines Tages betrat der junge Wassergott **Benacus** ihr Reich und verlockte sie, mit ihm zu gehen. Doch Engardina trauerte um ihr kleines Reich mit dem See in der Mitte. Da versprach der Gott ihr einen viel schöneren, größeren See. Mit seinem Dreizack schlug er an einen Felsen; donnernd brach das Gestein auf, Wassermassen rauschten in die Tiefe und füllten das Tal zum See. Engardina und Benacus vermählten sich in den klaren Fluten, und das Haar der Fee färbte das Wasser mit jenem tiefen, leuchtenden Blau, das seither die Besucher des Gardasees entzückt.*

Hafenanlage später zugeschüttet und durch eine in den See ragende Mole ersetzt.

In Hafennähe steht auch der **Palazzo Carlotti**, dessen seeseitige Fassade – die sogenannte ›Losa‹ – von fünf Arkaden im Untergeschoß und fünf Loggien im Obergeschoß gegliedert wird. Diesen Palast, der stadtseitig stark verändert wurde, soll der Veroneser Architekt *Sanmicheli* entworfen haben.

Nördlich vor der Altstadt liegt in einem üppigen, prunkvoll umzäunten Park die **Villa Albertini**. Wie ein Schloß ist sie mit Türmen und ghibellinischen Zinnen geschmückt. Sie gehört zu den schönsten Adelssitzen am See. Am 10. 6. 1848 empfing hier König Carlo Alberto von Piemont das Ergebnis der Volksabstimmung, mit der die Lombardei Anschluß an Piemont verlangte.

Vor dem südlichen Stadttor erhebt sich die große **Pfarrkirche Santa Maria Maggiore**. Der im 15. Jh. entstandene

Die Villa Albertini ist einer der nobelsten Adelssitze am See

Bizarre Wolkengebilde schieben sich vom See hinauf zwischen die Felsabstürze des Monte Baldo

Ausflüge

Das Hinterland von Garda bietet schöne Möglichkeiten für Ausflüge und Wanderungen. Im Ortsteil **Costermano** kann man den **deutschen Soldatenfriedhof** besuchen. Über 20 000 Gefallene aus dem Zweiten Weltkrieg fanden hier ihre letzte Ruhestätte. Die terrassenförmig angelegten Gräberfelder sind mit Schneeheide bepflanzt; steinerne Kreuze und Platten tragen die Namen und Daten der Toten (soweit bekannt) und erinnern schmerzlich an die sinnlose Opferung vornehmlich sehr junger Männer. Beeindruckend ist die schöne, friedliche Lage der Stätte mit einem weiten Blick über das von Zypressen und Weinbergen bewachsene Hügelland zum See hin und über die Alpenkette im Norden. Der Friedhof wurde von der Deutschen Kriegsgräberfürsorge gebaut und 1967 eingeweiht.

An die südöstlichen Ausläufer des Monte Baldo schmiegt sich zwischen Obstplantagen und grünen Hügeln das Städtchen **Caprino**. Von hier aus kann man hinauffahren in den Ort **Spiazzi**, der schon an der Tausendmetergrenze liegt. Der östliche Teil des Monte-Baldo-Massivs öffnet sich als eine reizvolle alpine Landschaft, die ausgezeichnete Wandermöglichkeiten bietet. Zum Etschtal fallen steile, unzugänglich erscheinende Felswände ab. Ein schmaler, gewundener Weg führt von Spiazzi hinab zu einer schroffen Wand, an die sich das Heiligtum **Madonna della Corona** wie ein Schwalbennest klammert, ein beliebter, außerordentlich romantisch gelegener Wallfahrtsort. Die Kirche in neugotischem Stil schmiegt sich wie schutzsuchend in den Stein. Im Innern fallen einige moderne Skulpturen auf. Verehrt wird jedoch eine wundertätige *Pietà* aus dem Jahr 1432 aus bemaltem Stein. Votivtafeln und alte Handschriften erzählen von den Wundern, die die trauernde Madonna vollbracht hat.

Praktische Hinweise

Tel.-Vorwahl Garda: 0 45
Information: IAT-Ufficio Informazioni, Lungolago Regina Adelaide, Tel. 7 25 51 94, Fax 72 55 67 20

Hotels und Restaurants
**** **Hotel Regina Adelaide**, Via XX Septembre, 32, Tel. 7 25 59 77, Fax 7 25 62 63. Gutbürgerliches Haus mit gemütlicher Einrichtung.

**** **Hotel du Parc**, Via G. Marconi, 3, Tel. 7 25 53 43, Fax 7 25 56 42. Stilvolle Villa in wunderschöner Lage direkt am See; herrlicher Blick auf die Bucht von Garda. (Das Hotel ist nur in der Zeit vom 20. 6. bis 6. 9. und an den Wochenenden für Touristen geöffnet.)

**** **Hotel Garden**, Via della Madrina, 2, Tel. 7 25 51 38, Fax 7 25 56 73. Das freundliche Hotel mit 36 Zimmern

(Seeblick) befindet sich nur wenige Schritte vom Stadtzentrum entfernt. Ein großer Park mit Swimmingpool garantiert Ruhe und Entspannung.

Trattoria da Pino 2, Via dell'Uva, 17, Tel. 7 25 56 94. Das im Ortsteil Giare gelegene, modern eingerichtete Lokal zeigt eine Ausstellung alter Fotografien von Garda. Spezialitäten sind heimische Fischgerichte; vernünftige Preise.

Trattoria ›La Val‹, Via Valle di Molini, 37014 Costermano, Tel. 7 20 01 88. Zwischen Garda und Costermano versteckt sich dieses familiäre Ausflugslokal im stillen Mühlental. Es verfügt über eine große Terrasse, wo es sich gemütlich speisen läßt. Besonders fein sind die in verschiedenen Variationen zubereiteten Forellen.

7 Bardolino

Beliebter Weinort am südlichen Teil des Sees.

Bekannt ist Bardolino vor allem wegen seines hellroten, leichten Rotweins (es gibt jedoch auch einen weißen Bardolino-Wein). Zugleich ist der Ort eines der beliebtesten Ferienziele am Gardasee. Zwei von der Höhe des Monte Baldo herabstürzende Bäche schufen durch weit in den See reichende Ablagerungen die natürlichen Begrenzungen für die Altstadt und den Hafen, der zwischen *Punta*

Flanieren, schauen, einkaufen: die Piazza vor der Kirche Santi Nicolo e Severo in Bardolino

Einen unübersehbaren Akzent setzt der Turm der romanischen Kirche San Severo in das Ortsbild von Bardolino

Cornicello und *Punta Mirabello* einen geschützten Platz fand.

Treffpunkt von Einheimischen und Gästen ist die große **Piazza** vor dem neoklassizistischen Portal der **Kirche Santi Nicolo e Severo** mit Cafés und Trattorien, mit Boutiquen und Souvenirläden.

Das **Stadtbild** Bardolinos ist – anders als das von Garda – dem Veroneser Stil verpflichtet. Schöne Parkanlagen und Gärten umgeben herrschaftliche Villen wie die *Villa Pellegrini, Guerrieri, Gianfilippi* u. a. Im Mittelalter hatte auch Bardolino ein Scaligerkastell, dessen Überreste eine zinnenbewehrte Turmruine darstellt.

Ein kunsthistorisches Kleinod ist die **Kirche San Severo** am nördlichen Stadteingang, die mit ihrem hohen Campanile schon von weitem zu sehen ist. Die Spitze des aus Naturstein errichteten Turmes schließt eine Haube aus rotem Ton ab. Der heutige Bau stammt aus dem 11. Jh.

Doch erstmals wurde die Kirche bereits 893 erwähnt, und die hinter dem Hochaltar ausgegrabene Krypta zeugt von einem langobardischen Vorgängerbau: Zwei gedrungene Säulchen und mehrere Pfeiler tragen die charakteristische langobardische Flechtbandornamentik. Die Ostpartie der Kirche endet in drei Apsiden, die außen mit schmückenden Gesimsen und Rundbogenfriesen verziert sind.

Das **Innere** des dreischiffigen, mit einem rustikalen Holzdach abgeschlossenen Raumes weist recht gut erhaltene *Fresken* aus dem 12. Jh. auf. An den Bögen des Mittelschiffs erkennt man Szenen aus dem Leben Jesu, darüber Darstellungen von Ritterkämpfen. Auf der gegenüberliegenden Seite sind die Apostel abgebildet und darüber Motive aus der Apokalypse des Johannes. Bemerkenswert ist das für die Zeit ungewöhnlich lebhafte erzählerische Element.

Von kunsthistorischem Wert ist auch die **Kirche San Zeno**, ein karolingischer Bau des 9. Jh. mit kreuzförmigem Grundriß. Sie liegt versteckt in einem Gehöft südlich von San Severo an der Via San Zeno. Sie ist vor allem wegen der sechs Säulen interessant, deren Kapitelle nach römischen Vorbildern gestaltet wurden, ohne freilich deren Finesse und Formenreichtum zu erreichen.

Im weiter südlich gelegenen Ortsteil **Cisano** sollte der Kunstinteressierte der **Pfarrkirche Santa Maria** einen Besuch abstatten. Im letzten Jahrhundert wurde dieses Gotteshaus zwischen Apsis und Fassade im Stil des Neoklassizismus erneuert. Interessant ist deshalb nur die *Fassade* mit wertvollen lombardisch-romanischen Steinmetzarbeiten des 12. Jh.: ein Reiter mit Schwert und Schild, ein Fisch und ein Adler. Am Vorbau und dem darüberliegenden Biforienfenster befinden sich zwei ungewöhnliche Schmuckplatten mit lombardischen Flechtbandornamenten, ergänzt von den Darstellungen eines Drachen, einer Schlange mit Trauben, von Vögeln und Blättern.

Praktische Hinweise

Tel.-Vorwahl Bardolino: 0 45
Information: IAT-Ufficio Informazioni, Piazza Matteotti, 53, Tel. 7 21 08 72, Fax 7 25 67 20

Restaurant

Ai Tini, Cisano, Via Pralesi, 32, Tel. 7 21 07 46. Romantisch in einem

Olivenhain gelegen, bietet die Küche dieses alten Hauses neben Fischspezialitäten auch besondere Fleischgerichte (Kaninchen- und Pferdefleisch).

8 Lazise

Das wichtigste Handelszentrum der venezianischen Zeit ist von mittelalterlichen Mauern und Türmen eingefaßt.

Gen Süden, an Rebhügeln entlangfahrend, erreicht man Lazise, einen der ältesten Orte am See, der sich sein mittelalterliches Aussehen gänzlich erhalten hat. Ein starker **Mauerring** aus der Zeit um 1370 umschließt die Altstadt vollständig. Der Verkehr bleibt aus den reizvollen verwinkelten Gäßchen, den Plätzen und der Uferpromenade ausgeschlossen. Sechs Türme und Wehrgänge mit ghibellinischem Zinnenkranz umgeben die Stadt und schließen das **Kastell** mit ein: eine typische Festungsstadt der Scaliger. Die Burganlage selbst gehört heute zu der Villa des Grafen Bernini und kann deshalb nicht besichtigt werden.

Geschichte Lazise war im Laufe der Jahrhunderte Ziel zahlreicher Belagerungen und Eroberungen. Während der kriegerischen Auseinandersetzungen zwischen Mailand und Venedig baute die Serenissima den Fischerhafen zu einem *Kriegshafen* aus und integrierte ihn in die bestehende Festungsanlage. Venedig unterhielt zum Schutz der Ufer zwei bestückte Galeeren und mehrere bewaffnete Boote. Als der Stadtstaat 1509 im Krieg gegen die *Liga von Cambrai* unterlag, ließ der venezianische Capitano Zaccaria Loredan die Flotte von Lazise verbrennen. Die Schiffe liegen noch heute vor der Stadt auf dem Grund des Sees.

Besichtigung Der **Hafen**, der wie in vielen Gardaseeorten tief ins Ufer einschneidet, wird auf der einen Seite von der ›Dogana‹ und der Kirche San Nicolo, auf der anderen Seite von hübschen, alten Häusern gesäumt. An seinem oberen Ende öffnet er sich zu dem großen **Platz**, auf dem früher der Markt war und der ebenfalls noch von den charakteristischen Häuserfassaden vergangener Zeiten umrahmt wird. Wer zu einer Zeit in Lazise weilt, wenn es noch ruhig zugeht auf dem Platz und in den angrenzenden Gassen, wird die Schönheit und

Harmonie des Ensembles besonders genießen.

Die **Kirche San Nicolo** am Hafen stammt aus dem 12. Jh., wurde aber im Laufe der Zeit vielfach beschädigt und durch die Soldaten, die im benachbarten Arsenal Dogana stationiert waren, mehrfach verwüstet. Erst 1953 hat man sie wieder restauriert und die Fresken, die aus der Zeit Giottos stammen, wiederhergestellt.

Die **Dogana** gleich neben der Kirche, ein Gebäude von beachtlichen Ausmaßen mit zwei wuchtigen Arkaden und einem Zinnenkranz, gehörte ehemals zur Werft und diente dem Bau und der Wartung der *Seeflotte*. Im Jahre 1607 wurde das Bauwerk, das zwischenzeitlich als Arsenal und sogar als Salpeterfabrik genutzt worden war, zum Zollhaus für die Transitwaren von Venetien über den See in die Lombardei erklärt. Die restaurierte ›Dogana‹ wird heute als Ausstellungsraum genutzt.

Ausflüge

Die Strecke zwischen Lazise und Peschiera ist weniger reizvoll. Hier entstand der große Freizeitpark ›**Gardaland**‹ im Stil von Disneyland, der vor allem sonn- und feiertags Tausende von Besuchern anzieht (22. 3.–28. 6. und 1. 10.–2. 11. von 9–18 Uhr, 28. 6.–10. 9. von 9–24 Uhr; Tel. 6 44 97 77). Empfehlenswert ist ein Besuch des ›**Zoo del Garda**‹ bei *Bussolengo*, einem Auto-Safari-Park mit beeindruckenden Freigehegen und einem *tropischen Vogelhaus*, sowie Nachbildungen von Sauriern in einer der Vorzeit nachempfundenen Landschaft (Mitte März–31. 10. von 9 Uhr bis Sonnenuntergang; Tel. 7 17 00 52).

Praktische Hinweise

Tel.-Vorwahl Lazise: 0 45
Information: IAT-Ufficio Informazioni, Via F. Fontana, 14, Tel. 7 58 01 14, Fax 7 58 01 40

Restaurants

Il Porticciolo, Lungolago Marconi, Tel. 7 58 02 54. Gepflegte einheimische Küche, wo nur frische Produkte der Region verwendet werden; großer Kamingrill.

La Taverna da Oreste, Via F. Fontana, Tel. 7 58 00 19. Direkt am Hafen; traditionsreiches Restaurant in altem Gewölbe, abwechslungsreiche Speisekarte.

9 Peschiera

Eine alte Festungsstadt von großer historischer Bedeutung.

Dort, wo der Mincio aus dem Gardasee abfließt, entstand an strategisch wichtiger Stelle Peschiera, eine stark befestigte Stadt, die im Laufe der Jahrhunderte immer wieder erneuert und ausgebaut wurde. Schon die **Römer** sicherten den Ort, den sie ›Arilica‹ nannten, gegen feindliche Übergriffe. Die Menschen lebten hier vor allem vom Fischfang. Aale genossen einen besonderen Ruhm: Das Wappen Peschieras zeigt zwei silberne Aale, über denen ein goldener Stern schwebt.

Ein entscheidendes Jahr für die Geschichte Peschieras, ja ganz Italiens, war 422. Damals gelang es **Papst Leo d. Gr.**, der nach Peschiera geeilt war, die unter ihrem Führer Attila eingefallenen **Hunnen** von einem geplanten Marsch auf Rom abzuhalten. In Peschiera sammelte auch **Friedrich Barbarossa** Mitte des 12. Jh. sein Heer, um gegen die Lombardische Liga vorzugehen. Als die **Scaliger** an die Macht gekommen waren, bauten sie – wie vielerorts am Veroneser Ufer des Gardasees – auch in Peschiera eine mächtige **Burg** mit einem 35 m hohen Bergfried. Peschiera – als Durchgangsort der **Via Gallia**, die die wichtigsten Städte der Poebene verband – lag immer im Brennpunkt kriegerischer Auseinandersetzungen in Oberitalien und nahm strategisch eine Schlüsselstellung ein. Dazu kam, daß der Mincio im Mittelalter bis zum Po schiffbar war und als wichtige Verbindung zwischen Adria und Gardasee diente.

1387 bemächtigte sich **Gian Galeazzo Visconti** Peschieras auf seinem Feldzug gegen Verona. Er baute jenen legendären **Damm über den Mincio**, der die Stadt Mantua trockenlegen sollte [s. S. 37]. Bis 1404 blieb Peschiera im Besitz der Mailänder Signorie. Nachdem 1516 nach vielem kriegerischen Hin und Her **Venedig** die Herrschaft über Peschiera erlangt hatte, begann die Serenissima, neue Wehranlagen zu bauen. Die Pläne für diese Arbeiten stammten von dem Veroneser Festungsbauer *Michele Sanmicheli*. Mit der Besetzung des südlichen Sees durch Napoleon und die Österreicher erhielt die Stadt Kasernen, Kasematten und von Wasser umgebene Wälle, die heute noch ihr Gesicht prägen. Die **Habsburger** errichteten in Oberitalien das anfangs sehr wirksame ›Strategische Viereck‹,

starke Befestigungen in Verona und Legnago gegen Venetien und in Mantua und Peschiera gegen die Lombardei.

Das 19. Jh. prägten zahllose Kämpfe und Auseinandersetzungen zwischen Österreich und Piemont sowie Österreich und dem ›Risorgimento‹, der italienischen Einigungsbewegung gegen die Fremdherrschaft der Habsburger. Eine Entscheidung brachte die blutige Schlacht von Solferino am 24. 6. 1859, in der die Italiener – inzwischen mit Napoleon III. verbündet – die Österreicher entscheidend schlugen. Dieser Sieg trug wesentlich zur Vertreibung der Habsburger und der Errichtung des **Königreichs Italien** unter **Vittorio Emanuele II.** bei. Das Festungsviereck wurde nicht zerstört, verlor aber im geeinten Italien seine strategische Bedeutung.

Die von Wasser umgebenen alten **Festungsanlagen** in Peschiera wirken heute weniger einladend, als vielmehr düster und teilweise verwahrlost. Hübscher sind die kleine **Altstadt** und der **Hafen**, Ausgangspunkt vieler Ausflüge über den See.

Praktische Hinweise

Tel.-Vorwahl Peschiera: 0 45
Information: IAT-Ufficio Informazioni, Peschiera del Garda, Tel., Fax 7 55 03 81

Restaurants

Bella Italia, Via Bella Italia, Tel. 7 55 02 29. Einfaches Restaurant, wo köstliche Nudelgerichte zubereitet werden.

Nuovo Secolo, Via Bella Italia, Tel. 7 55 01 64. Spezialitätenrestaurant für hervorragende Fisch- und Pilzgerichte, die allerdings ihren Preis haben.

10 Valeggio sul Mincio

Der tiefblaue Mincio teilt Oberitalien in eine lombardische und eine venezianische Hälfte.

Sehr reizvoll ist es, in die Hügellandschaft des **Mincio** zu fahren. Auf den Hügeln und in den Tälern lassen sich noch zahlreiche kleine, unberührte Dörfer mit Burgen und Kirchen entdecken. Beliebt sind diese **Moränischen Hügel** an den Ufern des Mincio auch als gastronomische Ausflugsziele, denn in diesem Gebiet hat sich noch die originale Küche erhalten. *Fisch* spielt natürlich eine große

Der Damm des Gian Galeazzo Visconti über den Fluß Mincio von 1393, ein kühnes, aber nutzloses Bauwerk

Rolle, aber auch *Eselsbraten* kann man hier noch essen und feststellen, daß er wirklich eine Delikatesse ist. Die Landschaft und ihre Siedlungen erinnern vielfach an die Toskana und verzaubern durch ihr altertümliches Ambiente und ihre ländliche Natürlichkeit.

Etwa 12 km südlich von Peschiera erreicht man am Ufer des Mincio den **Borghetto Valeggio sul Mincio**. Der eigentliche Ort Valeggio liegt auf einem Hügel über dem Flußtal und grüßt mit den markanten Ruinen einer ehemaligen *Scaligerburg* weit ins Land.

Nähert man sich dem Borghetto Valeggio sul Mincio, erkennt man von weitem einen mächtigen **Damm**, den Reste einer mittelalterlichen Brückenbefestigung krönen. Bizarr, ja anachronistisch nimmt sich dieses Bauwerk im lieblichen Flußtal aus.

1393 ließ *Gian Galeazzo Visconti* diesen Damm errichten, mit dem Ziel, der Stadt Mantua das Wasser abzugraben. 600 m lang wurde die Aufschüttung der Sperre, deren Planung und Ausführung der Visconti dem Festungsbaumeister *Domenico da Firenze* übertragen hatte. Er ist 26 m breit und 10 m hoch und kostete seinerzeit 300 000 Goldgulden. Dem Betrachter erscheint dieses Unternehmen einigermaßen größenwahnsinnig, und man kann nur Vermutungen darüber anstellen, warum der Damm nicht in Gebrauch genommen worden ist, bzw. weshalb er nicht funktionierte. Immerhin veranlaßte dieser mächtige Riegel im

Minciotal die Venezianer 1438 dazu, ihre Flotte gegen die Mailänder über das Gebirge zum Gardasee zu schaffen [vgl. S. 21]. Es bleibt die Verwunderung über ein unbegreifliches Vorhaben, das doch wenig Wirkung zeigte, sich aber recht phantastisch ausnimmt über dem Fluß, der in kleinen Kaskaden hinter der Brücke in den Borghetto strömt.

Das Dörfchen mit seinem altertümlichen Charme, mit schmalen Gassen, einer Kirche und einer alten Locanda nahe dem Fluß ist zwar kein Geheimtip mehr, blieb aber doch vom Massentourismus weitgehend verschont.

Unweit des Scaligerkastells von Valeggio sul Mincio, von dem nur noch drei Ecktürme, der Bergfried und ein Teil der Ringmauer erhalten sind, erreicht man die **Villa Sigurtà**, die besonders wegen ihres **Gartens** in der Region berühmt ist. In dem ehemals landwirtschaftlich genutzten Areal der Villa aus dem 17. Jh. wurde auf 50 ha ein ausgedehnter Park mit malerischen Teichen und romantischen Seerosenbecken, prächtigen Blumen und Bäumen angelegt. Der Begründer dieser beeindruckenden Anlage mit wunderschönen Ausblicken auf das Minciotal war Graf *Carlo Sigurtá*. Für das Publikum wurde der Garten, den man mit dem Auto durchquert, 1978 geöffnet. Die Einnahmen durch die relativ hohen Eintrittspreise dienen ausschließlich der Erhaltung und Pflege dieses ›Tempels der Natur‹ mit einer über 100 Jahre alten Mittelmeerflora.

TOP TIP

Öffnungszeiten: 2.März – Anfang Nov.
tgl. 9–19 Uhr für PKW, Bus schriftl. oder
telef. anmelden: Tel. 7 95 02 03, Dauer des
Besuchs: 1–3 Std.

Praktischer Hinweis

Antica Locanda Mincio, Via Michel-
angelo, 12, Tel. 7 95 00 59. Hausgemach-
te Teigwaren, vorzügliche Fischgerichte.

⏸ Sirmione

*Seit Catull hat dieses Kleinod am See die
Dichter und Denker immer wieder beflügelt.*

Daß das Gebiet um Peschiera im Altertum von einem dichten, furchterregenden
Wald bewachsen war, kann man sich heute, folgt man der Straße Richtung Sirmione, nicht mehr vorstellen. Um so
schöner, lieblicher muß dem Reisenden
der Antike die Siedlung erschienen sein,
die ihn am Ende der vier Kilometer in den
See ragenden Halbinsel willkommen
hieß. Römische Familien aus Verona und
Brescia bauten an der Landspitze, von
der aus sich einer der bezauberndsten
Ausblicke auf den Gardasee öffnet, ihre
Villen und Sitze. Unter ihnen war auch
die Familie der Valerier aus Verona, deren Sohn Gaius Valerius Catullus in die
Literaturgeschichte des Abendlandes ein-
gehen sollte.

Catull war nicht der einzige, der die
»Perle der Inseln und Halbinseln« pries.
Die Liste der Staatsmänner und Künstler,
die Sirmione besuchten und von seinem
Charme bezaubert waren, ist lang. Sie
reicht von Catull über Caesar, Dante,
Carducci bis zu Ezra Pound. Kaum ein
Ort am Gardasee erfreute sich vom Altertum bis in unsere Zeit einer so großen Beliebtheit wie diese südlichste Ansiedlung
am Benacus. Freilich hat diese Popula-
rität auch dazu geführt, daß das Städtchen an manchen Tagen – vor allem an
Festtagen, wenn außer den Touristen
Ausflügler aus Verona, Brescia und Mantua auf die Halbinsel drängen – hoffnungslos überfüllt ist. Doch zu Zeiten,
wenn die Urlauberströme abgeflaut sind
und es in Sirmione ruhig geworden ist,
vermag man die landschaftliche und ar-
chitektonische Schönheit des Ortes, die
Stille seiner Gärten und Olivenhaine und
die Farbenpracht der Sonnenuntergänge
über dem See ungestört zu genießen.

Die sehr schmale Landzunge ist heute
mit Villen, Hotels und Ferienwohnungen
bebaut und führt zu der eigentlichen
Stadt Sirmione, aus der der Autoverkehr
ausgeschlossen ist (Parkmöglichkeiten
vor den Stadttoren).

Den Eingang in die engen, gewundenen Sträßchen Sirmiones bewacht die
majestätische **Wasserburg** der Scaliger
mit ihrem zinnenbewehrten Mauerkranz,
hochaufragenden Türmen und tiefen
Wassergräben, die nur durch eine Zugbrücke Einlaß in die Festung ermöglich-
ten. Keine der Burgen der della Scala am
Seeufer ist besser erhalten als die von Sirmione, keine erscheint auch architektonisch so harmonisch und geschlossen wie

Zufluchtsort —
Catull in Sirmione

*Der Dichter Gaius Valerius Catullus
wurde um 84 v. Chr. in Verona geboren und starb um 54 v. Chr. in Rom.
Er stammte aus einer wohlhabenden
Familie, die in Sirmione ein Land-
haus besaß, das er ab und zu besuch-
te. Den größten Teil seines kurzen
Lebens verbrachte Catull jedoch in
Rom im Kreis von Poeten, die sich
die griechische Dichtung hellenisti-
scher Zeit zum Vorbild genommen
hatten.*

*Das prägendste Ereignis im Leben
des jungen Provinzlers war die Liebe
zu einer reifen, erfahrenen Römerin,
die er als »Lesbia« in seinen Gedich-
ten verehrte.*

*Catulls lyrisches Werk – die ›Car-
mina‹ – besteht aus nahezu 3000 Ver-
sen. Es umfaßt 60 kleine Lieder, deren Alltags- und Liebesthemen mit
großer Frische, mit Unverblümtheit,
auch Grobheit gestaltet sind, acht
umfangreiche Theaterstücke, darunter die ›Hochzeit des Peleus und der
Thetis‹ sowie 48 Epigramme. In Catulls Lyrik beeindruckt vor allem die
unverhohlene Leidenschaft, mit der
er von seiner Liebe zu Lesbia spricht.
Am Gardasee suchte der Dichter oftmals Ruhe vor dieser verzehrenden
Liebe. Sirmione widmete er die viel-
zitierten Verse: »Salve o venusta Sirmione« ... »Sei gegrüßt du herrliches
Sirmione, freu dich der Heimkehr
deines Herrn, und ihr, freut euch mit,
zärtliche Wellen des Sees.«*

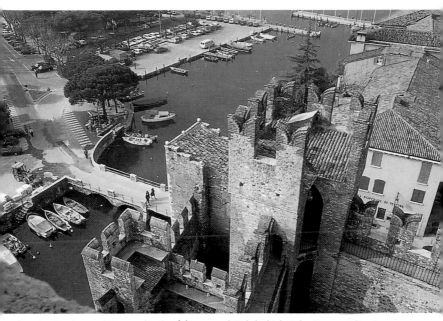

Aus der Vogelperspektive werden Ausdehnung und Wehrhaftigkeit der Burg von Sirmione deutlich

diese. Das beeindruckende äußere Bild täuscht jedoch nicht darüber hinweg, daß wir es mit einem kriegerischen Bauwerk zu tun haben, mit dessen Hilfe zeitweise auch auf die Bürger Sirmiones beträchtlicher Druck ausgeübt wurde.

Geschichte Das Kastell erhebt sich vor dem ersten der drei felsigen Hügel, die Sirmione Profil geben. Es entstand an der Stelle, wo schon die **Römer** ein ›castrum‹ gebaut hatten. Das römische Sirmione beherrschten zwei Kastelle, von denen eines ganz verschwunden ist; die Siedlung Sirmio bestand aus zwei Häfen und der riesigen Villenanlage auf dem dritten und letzten Hügel über dem Seeufer. Nach dem Fall des römischen Westreiches geriet Sirmione unter die Herrschaft einfallender barbarischer Völker und versank in Bedeutungslosigkeit. Unter den **Langobarden** entstanden verschiedene Klöster und Kirchen, von denen so gut wie nichts erhalten geblieben ist. Während der Herrschaft der **Scaliger** und später der **Venezianer** wurden die erhaltenen Befestigungen der Römer um- und ausgebaut. Den antiken Osthafen integrierten die Scaliger in die Festungsanlage, während das Hafenbecken am Westufer zugeschüttet und zu einer Piazza umgestaltet wurde.

Die **Piazza Carducci** – gesäumt von alten Häuserfassaden, mit einem schönen Blick auf den südwestlichen Teil des Sees, mit Cafés und Trattorien – ist heute eine der reizvollsten Platzanlagen von Sirmione. Hier befindet sich auch die Anlegestelle der Dampfer. Erst als im 13. Jh. die Scaliger die Herrschaft über das Gebiet übernahmen, entwickelte sich Sirmione zu dem Ort, der den heutigen Besucher mit den engen Gassen, den Torbogen und vielen überraschenden Durchblicken zum See so fasziniert. Haupteinnahmequelle der Bewohner war der Fischfang, dessen freie Ausübung Kaiser Friedrich II. im Jahre 1220 der Gemeinde durch ein Dekret garantiert hatte. Dieses Privileg blieb bis 1806 gültig.

Im Jahre 1276 – unter der Herrschaft *Mastinos I. della Scala* – entbrannte der Kampf gegen die **Patariner**, eines der blutigsten Kapitel in der Geschichte Sirmiones. Die Patariner waren – wie die Katharer – eine Sekte, die sich gegen den übermäßigen Reichtum der Kirche und gegen die Tyrannei der Klöster und ihrer Verwalter wendeten. Diese Häretiker empfand die Kirche als eine Gefahr für den katholischen Glauben und das Papsttum. Mastino ließ auf Veranlassung des Papstes Milizen in Sirmione, wo der Großteil der Bevölkerung der Sekte an-

Die Fresken in der Kirche San Pietro in Mavina stehen in byzantinischer Tradition

gehörte, zusammenziehen und richtete ein Massaker unter den wehrlosen Patarinern an. Etwa 200 gerieten in Gefangenschaft, und unter *Alberto I.* – dem Bruder Mastinos – wurden sie 1278 in der Arena von Verona öffentlich verbrannt.

Eingedenk dieser Geschichte betrachtet man die Scaligerburg, von der aus der Kampf gegen die friedlichen Bewohner Sirmiones geführt wurde, vielleicht mit anderen Augen. Die Türme und Wehrgänge erscheinen nicht mehr romantisch, sondern finster und bedrohlich. Das Innere der Burg macht deutlich, daß diese Anlage allein zur Verteidigung und als Machtdemonstration der Scaliger diente und in keiner Weise wohnlich war.

Nachdem sich Sirmione 1404 freiwillig Venedig unterwarf, verlangten die *Venezianer* von den Scaligern eine Restaurierung der Burg als Gegenleistung für die Erhaltung des Feudalrechtes.

Castello Scaligero

Man betritt die Burg über die Zugbrücke und durch ein Portal, über dem das Wappen der Republik Venedig (geflügelter Löwe) und das der Scaliger (Leiter) zu sehen ist. Im ersten Hof hielten sich die Wachen auf; sie konnten von hier aus durch die Schießscharten den Zugang zur Ortschaft beobachten. 47 Meter hoch ragt der Turm (Mastio) über das Geviert der Wehrgänge und Zinnen hinaus. Im Säulengang des einzigen bewohnbaren Gebäudes sind die Funde aus römischer Zeit

aufgestellt: Reliefs, Mosaike, ein Meilenstein um 305 – 307 n. Chr. sowie eine mittelalterliche Sammlung. Diese besteht aus Funden, die in den Ruinen des langobardischen *Klosters San Salvatore*, das auf dem zweiten Hügel gestanden hatte, entdeckt wurden. Bemerkenswert ist eine langobardische Schmuckplatte mit charakteristischen Flechtbandornamenten und Symbolen.

Über Wehrgänge und durch Ecktürme wandernd, vermag man die Ausmaße der Burg, ihr ausgeklügeltes Verteidigungssystem mit Zugbrücken, Treppen und befestigtem Mauerwerk zu erkunden. Besonders schön ist der Blick von oben auf den mit Seerosen bewachsenen Hafen. Dieser ehemalige römische Osthafen ist seit dem Bau der Burg rundum von hohen, zinnenbewehrten Mauern geschützt. Dieses Becken diente allein der Versorgung und Verteidigung des Kastells. Es ist ein seltenes, vollständig erhaltenes Beispiel einer Hafenanlage der Scaliger.

Öffnungszeiten: Ende März – Ende Sept. tgl. 9 – 18, im Winter 9 – 12 Uhr

S. M. Maggiore, S. Pietro in Mavino

Abseits der belebten, von Geschäften und Restaurants gesäumten *Via Vittorio Emanuele* gelangt man durch enge mittelalterliche Gassen zur Kirche **Santa Maria Maggiore**. Sie stammt aus dem späten 15. Jh. und wurde an der Stelle eines langobardischen Vorgängerbaues errich-

tet. Der Westfassade des sonst schmucklosen Baues ist eine Säulenhalle vorgesetzt. Eine der Säulen stammt aus römischer Zeit. Das einschiffige Innere wird
von drei großen Bögen unterteilt und hat
fünf Altäre. Der *Hauptaltar* ist eine aufwendige Marmorarbeit des 18. Jh., darüber erscheint das Bild der Muttergottes
in einem geschnitzten Holzrahmen aus
dem 16. Jh. Eine Reihe von Fresken aus
dem 15. Jh., von verschiedenen Meistern
ausgeführt, verdient die Aufmerksamkeit
des Besuchers. Besonders interessant ist
die ›Kreuzigung‹ an der Südwand.

Kunsthistorisch bedeutender ist die
Kirche **San Pietro in Mavino**, die auf
dem zweiten Hügel Sirmiones gebaut
wurde. Ihre Ursprünge gehen auf das
8. Jh. zurück. Man vermutet jedoch, daß
schon die Römer hier ein Heiligtum errichtet hatten. Einsam steht die Kirche inmitten eines stillen Olivenhaines, abseits
des belebten Ortes. Im 11. und 12. Jh.
wurde die alte Anlage erweitert. Es entstanden der *Campanile* sowie die drei
Apsiden im Osten. Die Fresken der Apsis
stammen aus dem 12. – 16. Jh. und bilden
einen bemerkenswerten ikonographi-
schen Zyklus. Überwältigend, beinahe
magisch wirkt das große *Fresko* in der
Hauptapsis, das Christus in der Mandorla als Weltenrichter am Ende der Zeiten
darstellt. Umgeben von zwei posaunebla-
senden Engeln, flankiert von Maria und
Johannes, richtet er die Toten, die zu seinen Füßen aus den Gräbern steigen. Das
Fresko wurde 1321 von einem Veroneser
Maler geschaffen, der noch stark unter
dem Einfluß der byzantinischen Kunst
arbeitete. In den Seitenapsiden befinden
sich Fresken einer thronenden Madonna
und einer Kreuzigungsgruppe. Auch
das Langhaus ist mit qualitätvollen Darstellungen von Heiligen (St. Michael,
St. Rocco, St. Josef) und einer Schutzmantelmadonna geschmückt.

›Grotte di Catullo‹

Unweit von San Pietro, auf dem dritten
Hügel der Halbinsel, zeugt die ausgedehnte Ruinenanlage der sog. Grotten
des Catull von der Blütezeit Sirmiones
in der Antike. 1483 hatte der Chronist
Marino Saniedo im Auftrag des Dogen
von Venedig eine Reise durch die ›Terra
Ferma‹ (Festland) beschrieben. Sirmione
bezeichnete er als das Land des Catull
mit seinen ›Grotten‹. Von da an nannte
man die römischen Ruinen ›Grotte di Catullo‹

Bei den ›Grotten des Catull‹ handelt es
sich tatsächlich um eine erst nach Catulls
Tode erbaute **römische Villa** des 1. bis
2. Jh. n. Chr. Seit 1939 finden hier systematische archäologische Ausgrabungen
statt. Die bisher gefundenen Reste haben
Ausmaße von 230×105 m, d. h. insgesamt mehr als 20 000 qm. Man geht jedoch davon aus, daß dies nur ein Teil der
wirklich existierenden Anlage ist. Vermutlich handelte es sich um ein ›mansio‹,
ein vornehmes Gästehaus des römischen
Staates mit Thermalbad, denn vor der
Landzunge entspringt im See die 70 Grad
heiße Boiola-Quelle, die die Römer
schon nutzten.

Die wenigen Funde, die im **Antiqua-
rium** – dem kleinen Museum am Eingang der Anlage – ausgestellt sind, deu-
ten darauf hin, daß das Gebäude mit großer Pracht ausgestattet war (Fragmente
von Fresken, Mosaiken, Schmuckstücke,
Gebrauchsgegenstände). Hier wird auch
ein Gebäudeplan der Villa gezeigt, der
den Gang durch die Anlage erleichtert.

Am Eingang des ausgedehnten Be-
zirks, dessen unvergleichliche Lage über
dem See fasziniert, betritt man den *Kryp-
toportikus*, einen 158 m langen überdachten **Gang** mit doppelter Säulenreihe, der
Schutz vor Regen und Sonne bot und zum
Lustwandeln einlud. An den Außenseiten
waren wohl kleine Läden eingerichtet;
tatsächlich verfügte die Villa sogar über
eine eigene Handelsstraße. Am südlichen
Rand sind noch Teile der *piscina*, des
Thermalbades, erhalten, das durch Bleirohre aus der Boiola-Quelle gespeist wurde. Von der Kuppe des Hügels läßt sich
die zunächst labyrinthisch anmutende
Anordnung der Gebäudeteile einigermaßen gut überschauen. Am Nordende
stößt man auf den **Lungo Corridoio**, der
seinerzeit mit Stuck und Malereien dekoriert war und von dem aus die 15 angrenzenden Räume, wahrscheinlich Schlaf-
zimmer, zugänglich waren.

Am äußersten östlichen Ende, etwas
unterhalb des ›Corridoio‹, öffnete sich
ein großer **Saal** mit dreibogigen Fensteröffnungen über den See, die *Trifora
del Paradiso*. Von hier bietet sich ein unvergleichlich schöner Blick durch die gewaltigen Bogenreste über den See hinüber bis zum Monte Baldo. Vom langen
Gang steigt man hinab in die **Aula dei
giganti**, den größten Saal der Villa. Der
Name bezieht sich auf die gigantischen
Steine, die aus dem Dachgewölbe ge-
stürzt sind. Sie dienten als Stützen einer

Noblesse des 19. Jahrhunderts: Ein märchenhafter Park umgibt die Villa Cortine

Aussichtsterrasse, die die Mitte des vorderen Gebäudekomplexes einnahm. Erst wenn man den alten, stimmungsvollen Olivengarten erreicht hat, vermag man die gewaltigen **Gewölbe** zu erkennen, die die ganze Konstruktion über den steilen, aus dem See ragenden Kalkfelsen tragen. Sie sind der Grund, weshalb man das Bauwerk als Grotten bezeichnete. Die riesigen Räume im Innern der 17 m hohen Mauern dienten vermutlich als *Vorratslager* und Ställe, worauf der Name **Grotta del Cavallo** hinweist. Von der Terrasse des Olivengartens erkennt man die breite, bis 100 Meter in den See ragende *Brandungsterrasse* aus von der Eiszeit glattgeschliffenen Felsen, die im Sommer ein beliebter Badeplatz sind.

Öffnungszeiten: Ende März – Ende Sept. tgl. 9 – 18, im Winter 9 – 12 Uhr.)

Terme di Catullo

Die von den Römern genutzte **Quelle** geriet während der Wirren der Völkerwanderung in Vergessenheit. Im Jahre 1546 beschrieb erstmals ein Mönch des Klosters San Zeno in Verona die Heilkraft des warmen Wassers. Doch erst 300 Jahre später entdeckte ein Junge die römischen Bleirohre, die in 18 m Tiefe verliefen. 1889 wurde die Quelle schließlich gefaßt, Rohre verlegt und mit dem Festland verbunden. Man erkannte den hohen therapeutischen Wert des Wassers für bestimmte Formen von Schwerhörigkeit, Hautkrankheiten und Rheumatismus. Ein **Therapiezentrum** (Terme di Catullo) wurde gebaut. Der Ferienort Sirmione entwickelte sich nun auch zu einem bekannten **Thermalbad**, das inzwischen über ein zweites, hochmodernes Kurzentrum im Ortsteil Colombare verfügt.

Praktische Hinweise

Tel.-Vorwahl Sirmione: 0 30
Information: IAT-Ufficio Informazioni Sirmione, Viale Marconi, 2, Tel. 91 61 14, Fax 91 62 22

Hotels und Restaurants

***** **Villa Cortine**, Via Grotte, 6, Tel. 9 90 58 90, Fax 91 63 90. Alte, prachtvolle Villa mit neuem Anbau in einem unvergleichlich schönen Park auf dem ersten Hügel von Sirmione gelegen; die Preise entsprechen der Lage.

**** **Ideal**, Via Catullo, 31, Tel., Fax 9 90 42 45. Sehr angenehmes Haus mit Seeblick rundum.

*** **Hotel du Lac**, Tel. 91 60 26, Fax 91 65 82. Sehr gepflegtes Haus direkt am See.

*** **Hotel Golf u. Suisse und Rossi Appartamenti**, Via Condomino, 2, Tel. 9 90 45 90, Fax 91 63 04. Gepflegtes Haus am See; angenehme Appartements mit Hotel-Service.

Trattoria Vecchia Lugana, Lugana di Sirmione, Piazzale Vecchia Lugana, 1, Tel. 91 90 12. Gilt mit 1 Michelin-Stern als das beste Restaurant am See; regionale Küche; malerische Terrasse.

Ristorante Risorgimento, Piazza Carducci, 4/5, Tel. 91 63 25. Fische aus dem See, schmackhafte Fleischgerichte; direkt am Hauptplatz gelegen.

Gardesana occidentale – dramatische Bergpanoramen, sanfte Hügelwelt

In Riva del Garda beginnt die Gardesana occidentale, eine der schönsten Panoramastraßen der Tridentiner Alpen, die sich bis Gargnano entlang der senkrecht in den See fallenden Felswände über 50 Brücken und 74 Tunnels windet. 1931 wurde sie in den Fels gebaut bzw. aus ihm herausgesprengt, ein Meisterwerk der Straßenbaukunst! Zwischen den dunklen Strecken im Tunnel blitzen immer wieder – wie Diapositive – atemberaubende Bilder vom See und dem gegenüberliegenden Ufer mit dem Massiv des Monte Baldo auf. Doch Vorsicht, der Kontrast von Hell und Dunkel ist tückisch! Auch wurde die Straße nicht für den Massenverkehr unserer Tage konzipiert. An manchen Stellen geht es gefährlich eng zu. Auf dem begrenzten Uferstreifen zwischen See und Berg vermochten nur wenige Orte Raum zu finden.

Kühn windet sich die Gardesana occidentale entlang der schroffen Steilküste des Westufers

12 Riva del Garda

*Venedig und Habsburg prägten die Stadt
am Nordende des Sees.*

Ein Schiff mit geblähten Segeln ist Rivas
Stadtwappen. Es weist schon auf die Bedeutung der Stadt als Hafen hin. In römischer Zeit hieß sie ›Ripa‹ (Ufer). Von An-
beginn war die **Bucht** ein wichtiger An-
legeplatz am **Nordende des Gardasees**,
der hier einen strengen, fjordartigen Charakter hat. Glatte Felswände fallen steil
in den See ab und lassen nur wenig Platz
für Besiedlung. Riva kam die fruchtbare
Ebene der **Sarca** im Norden zugute, so
daß sich schon früh ein reger Handelsort
zwischen See und Alpen entwickelte.
Zwischen Riva und Torbole, den einzigen Siedlungen am Nordende des Sees,
schiebt sich als mächtiger Sperriegel der
Monte Brione. Die beiden Städte, die er
geographisch trennt, sind sehr unterschiedlich in Aussehen und Charakter.

Geschichte Rivas Geschichte war außerordentlich bewegt, denn Veroneser, Mailänder und Venezianer, Tiroler Grafen
und Trienter Bischöfe stritten sich in Folge um die Rechte an dem bedeutendsten
Hafen am nördlichen Gardasee. Von
1510-1802 gelang es den Trienter Fürst-
bischöfen, Riva für sich in Anspruch zu

nehmen. Danach kam die Stadt an das
Habsburgische Kaiserreich, in dessen
Besitz es bis zum Ende des 1. Weltkrie-
ges 1918 blieb.

Besichtigung Venezianischer und österreichischer Baustil prägen das Bild der
Altstadt, die sich malerisch mit bunten
Fassaden und kantigen Türmen um den
Hafen gruppiert. Stadt und See gehören
unlösbar zusammen. Nur ein kurzes
Stück ist es von der alten **Stadtmauer**,
die den Lärm und die Hektik des modernen Verkehrs aussperrt, bis zum Ufer des
Sees, an dem sich die majestätischen
Reste der Rocca, der einstigen *Scaligerburg*, erheben. Verwinkelte Gassen führen auf die belebten, ineinander über-
gehenden Plätze, deren Häuserfassaden
eine reizvolle Mischung aus venezian-
scher und habsburgischer Bauweise bilden. Hohe Türme, wehrhafte Stadttore
und mit Wappen und barocken Ornamenten verzierte Häuser fügen sich zu einem reizvollen Ensemble, das einerseits
streng und geordnet erscheint, anderer-
seits den Charme mediterraner Heiterkeit
ausstrahlt.

Zentrum ist die **Piazza 3 Novembre**
gleich am Hafen, beherrscht vom hohen
Torre Apponale, dem Wahrzeichen von
Riva. Dieser bereits 1220 erwähnte, über

Besonders elegant wirkt die Silhouette Rivas vom Wasser aus

Eck gestellte Uhrturm überragt majestätisch die mittelalterlichen Gebäude. Friedrich Nietzsche äußerte bei einem Besuch in Riva den Wunsch, sein Leben als Eremit in diesem zum Schutz des Hafens erbauten Wehrturm zu verbringen. Im Norden begrenzen Arkadenhäuser aus dem 14. Jh. den Platz. Sein westliches Ende bildet der **Palazzo Pretorio**, den Cansignore della Scala 1375 erbauen ließ. Er ruht auf schweren Bogengängen. An ihn schließt sich über Eck der ebenso alte **Palazzo del Proveditore** an. In dieses älteste, geschichtsträchtige Ensemble fügt sich schließlich noch der **Palazzo del Comune** ein, den die Venezianer Ende des 15. Jh. an Stelle eines Vorgängerbaues errichteten. Durch ein von Zinnen gekröntes Tor erreicht man die kleine **Piazza San Rocco** mit einer dem Pestheiligen geweihten *Kapelle*. Das Tor war 1406 von den Mailändern in Brand gesetzt worden. Seither trägt es den Namen ›**Porta Bruciata**‹ (›Verbranntes Tor‹).

Entlang der lebhaften, von Hotels und Cafés gesäumten Uferpromenade gelangt man zur **Rocca**, dem mächtigen Komplex der Wasserburg. Im 12. Jh. er

bauten die Scaliger diese wehrhafte Anlage auf den Ruinen einer römischen Festung. Die Trienter Fürstbischöfe fügten Gartenanlagen und Fischteiche hinzu und ließen das Kastell wohnlicher gestalten. Von diesem Umbau ist so gut wie nichts erhalten, da die Österreicher das Schloß während ihrer Regierungszeit als Kaserne nutzten. Seit mehreren Jahren wird die Rocca grundlegend renoviert. Sehenswert ist die **Pinacoteca**, eine Sammlung von Gemälden, Fresken und Skulpturen einheimischer Künstler des 14.–20. Jh. Darüber hinaus zeigt das Museum Funde aus der Pfahlbausiedlung am Ledrosee (1500 v. Chr.) sowie römische und mittelalterliche Exponate. Auch Wechselausstellungen finden in den schon fertiggestellten Sälen statt.

Öffnungszeiten: Di – So 9.30 – 18.30 Uhr

Von den blühenden Parkanlagen, die die Rocca umgeben, gelangt man zur **Pfarrkirche dell' Assunzione della Beata Vergine Maria**, einem hohen, tonnengewölbten Bau im Barockstil mit acht Seitenkapellen. Beachtenswert ist die *Cappella del Suffrago* mit prächtigem Stuck und einem Gemälde der Himmelfahrt Mariens im Kuppelgewölbe. Hinter der Pfarrkirche erhebt sich die **Porta San Michele**, eine der alten Stadttore Rivas,

Österreichischer Einfluß ist in der Architektur der Altstadt deutlich spürbar

dessen Turm der Kirche zugleich als Campanile dient.

Außerhalb der Stadtmauer gelangt man, der *Via Roma* folgend, zu der **Kirche dell'Inviolata**, dem kunsthistorisch interessantesten Bauwerk Rivas. Sie ist das Werk eines portugiesischen Architekten und wurde 1603 erbaut. Von außen wirkt sie mit dem hohen, schlanken Turm beinahe schmucklos. Um so mehr überrascht im **Innern** der detailfreudige und elegante Stuck, mit dem die Wände, die Kuppel und die Seitenkapellen überzogen sind. Als Stukkateur arbeitete hier *Davide Reti* aus Rom, während die qualitätvollen Fresken von *Martino Teofilo Polacco* aus Arezzo und von *Palma il Giovane* aus Verona gemalt wurden. Von besonderer Schönheit sind die reich skulptierten Möbel in der Sakristei und das Chorgestühl hinter dem Hauptaltar, das Szenen aus dem Alten Testament darstellt.

Über der Stadt Riva, an den Steilhängen der im Westen aufragenden Rocchetta, hängt wie ein Adlerhorst die **Bastion**, die die Venezianer 1508 erbaut hatten und die 1703 von Vendôme gesprengt wurde. Wenn sie auch keine militärische Schutzfunktion mehr hat, so ist sie doch eine empfehlenswerte Aussichtskanzel mit einem grandiosen Blick über die Stadt und den See. Wem der halbstündige Aufstieg zu mühsam ist, kann eine Seilbahn benutzen.

Praktische Hinweise

Tel.-Vorwahl Riva: 04 64
Information: Giardini di Porta Orientale, 8, Tel. 55 44 44, Fax 52 03 08

Hotels und Restaurants

**** **Grand Hotel Riva**, Piazza Garibaldi, 10, Tel. 52 18 00, Fax 55 23 93. Sehr gepflegtes Hotel direkt am See mit schönem Garten.

**** **International Hotel Liberty**, Tel. 55 35 81, Fax 55 11 44. Alte Villa, eingerichtet im Liberty-Stil mit einem traumhaft schönen Innengarten.

**** **Hotel Sole**, Piazza 3 Novembre, 35, Tel. 55 26 86, Fax 55 28 11. Im Zentrum gelegenes, renoviertes Hotel mit herrlichem Blick auf den See, moderne stilvolle Einrichtung.

*** **Albergo al Maso**, Via S. Nazzaro, 2, Tel. 52 15 14, Fax 55 63 61. Ehemalige Villa, sehr ruhig zwischen Obst- und Weingärten gelegen, neu restauriert, empfehlenswerte Küche.

Ristorante Rocca di Riva, Tel. 55 22 17. In der Rocca gelegen, sehr romantisch mit Blick auf See und Berge; abwechslungsreiche Küche.

🖽 Val di Tenno

Ein romantisches Tal mit herrlichem See und alten Gemäuern.

Lohnenswert ist ein Abstecher ins Tennotal, wo noch viel von dem ursprünglichen Charakter der alten Dörfer erhalten geblieben ist. Auf dem Weg dorthin liegt unweit der Straße der **Wasserfall von Varone**, der zu den eindrucksvollsten Naturschauspielen am Gardasee gehört. Aus einer Höhe von fast 100 m stürzt das Wasser eine enge Klamm hinab, die sich in 20 000 Jahren gebildet hat. Von zwei übereinanderliegenden Brücken kann man in den tosenden Schlund blicken. 1901 besichtigte Thomas Mann die 1874 eröffnete ›Cascata del Varone‹. Seine Eindrücke finden wir in einer Beschreibung im ›Zauberberg‹: »Vor dem Hintergrund der engen, tiefen Schlucht, die von dicken, nackten, glitschigen Felsbrocken gebildet wird, die wie enorme Fischbäuche anmuten, stürzt die Wassermasse mit ohrenbetäubendem Getöse herunter. Die wahnsinnige, mächtige Dusche betäubte, machte Angst und verursachte Halluzinationen des Gehörs.«

Öffnungszeiten: März tgl. 10 – 12.30 und 14 – 17 Uhr, April tgl. 9 – 18 Uhr, Mai – Aug. tgl. 9 – 19 Uhr, Sept. tgl. 9 – 18 Uhr, Okt. tgl. 10 – 12.30 und 14 – 17 Uhr, Nov. – Feb. So 10 – 12.30 und 14 – 17 Uhr

Sehr reizvoll ist die Weiterfahrt ins Tennotal. Das Dorf **Tenno** selbst konnte noch zahlreiche alte Steinhäuser, Gewölbe und Terrassen bewahren. Sehenswert ist die **Kirche San Lorenzo**, ein romanischer Bau, in dem noch Fresken der Romanik und des 14. Jh. erhalten geblieben sind. Die **Burg** von Tenno, die zu den strategisch wichtigen des Trentino gehörte, wurde von den Franzosen stark zerstört, so daß von der mittelalterlichen Anlage nur noch wenig

Der Tennosee bezaubert mit seinen wechselnden Farbspielen

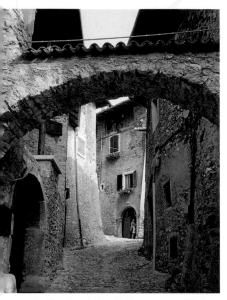

In Canale scheint die Zeit stehen geblieben zu sein. Eine Künstlerkolonie sorgt für den Erhalt des ›borgo‹

Tal bezaubert durch die leuchtende, mit dem Lichteinfall wechselnde Farbgebung seines Wassers. Tief eingegraben zwischen grün bewachsenen Bergen, erscheint er wie ein leuchtend blaues Auge, in dem sich Wolken, Bäume und Himmel spiegeln. Weiter nördlich in **Fiavè** kann man Ausgrabungen einer *Pfahlbausiedlung* besichtigen, die von ca. 2000 – 1200 v. Chr. existierte und der gleichen Kultur angehörte wie die Pfahlbauten am Ledro-

zu sehen ist. Sie wurde später teilweise wiederhergestellt und, um neue Gebäude ergänzt, wieder bewohnbar gemacht.

Im benachbarten **Canale** hat sich in dem Gemäuer der überlieferten Natursteinhäuser eine Künstlerkolonie eingerichtet, die mit wechselnden Ausstellungen dem archaisch anmutenden Ort ein kontrastreiches Gepräge gibt.

Der kleine **Tennosee** weiter oben im

Kulinarisches aus dem Tennotal

*Im Tennotal gibt es eine typische Spezialität, die man sich nicht entgehen lassen sollte; die meisten ländlichen Trattorien haben sie auf ihrem Speiseplan. ›***Carne Salada***‹ ist ein altes Hausrezept, das aus den Zeiten stammt, da es noch keine Kühlgeräte gab: In dünne Scheiben geschnittenes Rindfleisch wird mit grobem Salz eingerieben, mit Knoblauch, Lorbeerblättern, Wacholderbeeren, Pfeffer und Rosmarin zehn Tage lang in einem geschlossenen Gefäß und mit einem Stein oder einem anderen Gewicht zusammengepreßt aufbewahrt. Gegrillt oder gedünstet wird es dann mit dicken Bohnen serviert. Das Aroma der Gewürze, die während der Lagerung in das Fleisch eingezogen sind, verleiht ihm den köstlich aromatischen Geschmack.*

Am Ledrosee: Er ist zwar kleiner, aber ebenso romantisch wie der Gardasee

Der Hafen von Limone gehört zu den reizvollsten am See

see. Ein hübsches Landrestaurant mit guter Küche findet man in *Piè di Castello*: **Locanda Castello**, Piazza Castello, 3, Tel. 50 06 38

14 Val di Ledro

Ein beliebtes Ausflugsziel von Riva aus.

Früher erreichte man den beinahe 400 m hoch gelegenen See über die **Ponale-Straße**, die wegen ihrer atemberaubenden Ausblicke, aber auch der engen, gefährlichen Kurven wegen berühmt war. Autofahrer müssen heute einen langen Tunnel durchqueren, der an Stelle der schwierigen Panoramastraße gebaut wurde. Man erreicht den See schneller, muß aber auch auf die Aussicht über den Gardasee verzichten. Bei Molina di Ledro gelangt man an den **Ledrosee**. Wie sein größerer Bruder ist dieses lieblich zwischen dem Bergpanorama eingebettete Gewässer ein Relikt der Eiszeit. Sein Abfluß ist der **Ponale**, der ehemals als ein riesiger Wasserfall in den Gardasee stürzte. Heute ist er in Röhren verschwunden und wird für ein Elektrizitätswerk genutzt.

In **Molina** befinden sich die bekanntesten Reste eines *Pfahlbautendorfes* der Region. Es wurde 1937 ausgegraben, nachdem man nach Senkung des Wasserstandes im See Schmuck, Waffen und Gebrauchsgegenstände gefunden hatte,

die um die Zeit von 1700 v. Chr. datiert werden. In dem interessanten *Museum* am See kann man das Leben der frühen Pfahlbautenbewohner studieren. Eine Hütte wurde nachgebildet und gibt Einsicht in die kunstvolle Konstruktion der Behausungen. Von den etwa 10 000 Pfählen, die ausgegraben wurden, ist freilich nur noch ein kleiner Teil erhalten.
Öffnungszeiten: März – Juni, Sept. – Nov. Di – So 9 – 12 und 14 - 18 Uhr, Juli, Aug. Di – So 9 – 12 und 14 – 19 Uhr

15 Limone

Die Idylle fiel dem Tourismus zum Opfer.

Limone liegt an der Grenze zwischen der Provinz Trentino und der Provinz Brescia, an der Stelle, wo sich der See fjordartig verengt. Die Häuser haben wenig Platz zwischen See und steilem Berghang. Die nackten Kalkfelsen über dem Ort – hier und da von Buschwald unterbrochen – bilden einen lebhaften Kontrast zum intensiven Blau des Wassers. Die von ehemaligen Limonenplantagen und Olivenhainen umgebene Ortschaft gehört wegen ihrer besonderen landschaftlichen Schönheit zu den beliebtesten am Gardasee. Dieser Ruf führte jedoch dazu, daß Limone viel mehr Besucher anzog, als dem kleinen Ort zuträglich war. Heute ist die einstige Idylle leider ganz dem Tourismus unmöglich.

Limonenanbau am Gardasee

Der schon seit der Römerzeit bekannte Anbau von Zitrusfrüchten am Westufer des Gardasees wurde Ende des 18.Jh. durch agrartechnische Neuerungen intensiviert und kommerzialisiert. Die neue Methode bestand darin, daß große, galerieartige Bauten errichtet wurden, die die Bäume im Winter vor Frost schützen sollten. Man mußte für die Zitronenbäume, die eine ganzjährige Reifezeit haben, ein künstliches Klima schaffen. Seiten- und Rückwand eines Zitronengartens bestanden aus einer geschlossenen Mauer, während die Vorderseite zum See geöffnet blieb. Auf einer zwei Meter hohen **Schutzmauer** *wurden acht Meter hohe steinerne Pfeiler errichtet. Pfeiler und Mauer waren oben mit einer Holzbalkenkonstruktion quer und längs untereinander verbunden. Sie dienten zur Auflage der* **Holzdächer**, *die die Bäume im Winter vor Frost bewahrten, ergänzt durch die zwischen den Pfeilern eingesetzten Glasfenster. So wurden die Zitronenhaine im Winter in geschlossene* ›**Gewächshäuser**‹ *verwandelt. Das Baumaterial wurde aus den Steinbrüchen um Malcesine über das See herangeschafft; das Holz kam aus den Alpengebieten. Auch die Erde mußte vom Ostufer geholt werden. In den siebziger Jahren des 18.Jh. begann der große* **Aufschwung** *im Zitronenanbau. Die Ernteerträge beliefen sich bis 1840 auf ca. sechs Millionen Früchte pro Jahr. Die Hauptexportfrucht war die* ›*citrus limonium*‹. *Durch lange Haltbarkeit, größeren Saftanteil und höherem Vitamin-C-Gehalt unterschied sie sich von der sizilianischen Zitrone, die der Produktion am Gardasee dennoch den Garaus machte. Bereits 1870 konnte Sizilien billigere Produkte auf den Markt bringen. Der rückläufige Trend setzte sich langsam aber stetig fort. Den* **Zusammenbruch** *brachte der* ›schwarze Winter‹ *1928/29, als am gesamten See so gut wie alle Zitronenbäume erfroren. Viele Bauern verloren damals die Grundlage ihrer Existenz.*

Die Hotelarchitektur der sechziger und siebziger Jahre stört die Harmonie der mittelalterlichen Bausubstanz. Vom See aus ist der Blick auf das steil ansteigende Panorama des Ortes noch am reizvollsten. Das kleine Hafenbecken zwischen den alten Häusern war einmal einer der stimmungsvollsten Plätze am See. Heute prägen Andenkenläden, Restaurants, Cafés die ehemals typisch italienische Atmosphäre der Marina und der umliegenden engen, mittelalterlichen Gassen, durch die sich im Sommer ein endloser Strom von Touristen wälzt.

Die barocke **Pfarrkirche San Benedetto** überragt in beherrschender Lage den Ort. Sie entstand 1685 an Stelle eines romanischen Gotteshauses. Wegen ihrer schönen Marmoraltäre und den sehenswerten Gemälden des Venezianers *Andrea Celesti* (1637-1711) empfiehlt sich ein Besuch. Beachtenswert ist auch die kleine **Kirche San Rocco** ein Stück weiter am Ufer über dem See. Sie wurde im 14. Jh. erbaut und später im Stil der Renaissance ausgemalt.

Der Name des Ortes bezieht sich nicht auf die Limonen, die hier – obwohl eigentlich nicht heimisch – angebaut wurden und die inzwischen, nachdem die Südfrüchte aus Sizilien wesentlich preiswerter sind, so gut wie verschwunden sind. Limone leitet sich vielmehr von ›limes‹, d. h. Grenze ab.

Die **Limonaie** hingegen künden davon, daß hier über Jahrhunderte – bis ins Jahr 1930, als extreme Fröste den Bestand der Zitrusbäume zerstörten – Orangen und Zitronen angebaut wurden. Einige wenige dieser Zitronengärten sind revitalisiert worden, weniger des Ertrages wegen als aus Anschauungsgründen. Häufiger findet man in der Umgebung die schönen, alten Olivenhaine.

Mit der Fertigstellung der *Gardesana occidentale* entwickelte sich in Limone ein neuer Wirtschaftszweig, der Tourismus. Wo früher Limonaie standen, baute man Hotels, Pensionen und Restaurants. Nur wenige Zitronenhaine blieben erhalten. Der größte und einzige zusammenhängende Anbaukomplex befindet sich heute in **Tignale**.

Praktischer Hinweis

Tel.-Vorwahl Limone: 03 65
Information: IAT-Ufficio Informazioni, Via Comboni, 15, Tel. 95 40 70, Fax 95 46 89

Wie auf einem Balkon thront Pieve di Tremosine auf einem jäh abfallenden Bergabsturz

16 Tremosine

Die Hochebene ist ein paradiesisches Wandergebiet.

Zwei schöne Straßen klettern hinauf auf die Hochfläche von Tremosine. Die erste, sanftere beginnt gleich hinter Limone, während die andere in dem langen Tunnel bei Campione abzweigt und sich durch die wilde **Brasaschlucht** in zahlreichen Kehren, durch finstere Felsgalerien nach Pieve di Tremosine hinaufwindet. Der Hauptort der Hochebene liegt an schwindelerregender Stelle über der schroffen Kante des Felsabbruchs zum See hin. Dahinter dehnt sich eine von Hügeln und sanften Abhängen, von Almen und Wäldern charakterisierte Hochebene aus. Diese Naturterrasse über dem Westufer des Gardasees ist ein beliebtes Ausflugsziel aufgrund seines angenehmen, kühleren Klimas und seiner vielfältigen Flora. Olivengärten wechseln mit Steineichenwäldern und Kastanienhainen ab. Auf den Almen, die sich zum Hochgebirge im Westen hinziehen, gedeiht eine artenreiche **Alpenflora**. Grandios sind die Ausblicke über den See und auf die Alpen. Der Hauptort **Pieve di Tremosine**

liegt 416 m ü.d.M., gleichsam auf einem Balkon über dem Gardasee, im Angesicht des Monte-Baldo-Massivs. Auf einem kühnen Felsvorsprung erhebt sich die **Pfarrkirche San Giovanni Battista**. Sie stammt aus dem 15. Jh. und wurde 1712 erneuert und im Stil des Barock ausgestattet. Herausragend sind die Schnitzarbeiten des Chorgestühls sowie die Intarsienarbeiten in der Sakristei von *Giacomo Lucchini da Condino*. Beachtenswert auch die schönen Schnitzereien am Orgelgehäuse. Anmutig heiter wirkt der Hochaltar mit gedrehten Säulen, Putten und Marmorintarsien. Der Glockenturm der Kirche ist Rest eines lombardisch-romanischen Vorgängerbaues.

Inmitten der Almen und Wiesen der Hochebene von Tremosine haben sich 17 kleine Dörfer angesiedelt, in denen noch viele malerische Natursteinhäuser erhalten geblieben sind. Die frühesten Siedler des Gebietes sollen Etrusker gewesen sein, ihnen folgten Cenomanen und Römer. Auf die Anwesenheit der Etrusker weist der **Stein von Voltino** hin, auf dem lateinische und etruskische Inschriften gefunden wurden, die bisher nicht entziffert werden konnten. Der Stein befindet sich jetzt im Römischen Museum von Brescia. Tremosine ist ein besonders schönes, abwechslungsreiches **Wandergebiet**. Man kann bis zu dem 1694 m hohen *Passo Tremalzo* aufsteigen, von wo aus sich grandiose Ausblicke in die Alpen öffnen.

17 Tignale

Wallfahrtsort mit Balkon über dem See.

Das Tal von San Michele mit dem *Torrente Campione* trennt die Hochebene von Tremosine von der südlicher gelegenen **Hochebene von Tignale**. Die Straße windet sich durch eine wilde, unberührte Gebirgslandschaft. Sechs Dörfer haben sich auf der 500 m hohen Felsterrasse entlang einer Panoramastraße angesiedelt, die sich zuletzt in vielen Kehren mit spektakulären Ausblicken hinabwindet und bei *Gargnano* wieder das Seeufer erreicht. Der Hauptort von Tignale ist **Gardola**; die Hauptsehenswürdigkeit ist jedoch die unweit des Ortes auf einem Fels, 700 m über dem See thronende **Wallfahrtskirche** von **Montecastello**. Das Gotteshaus mit Kloster und Einsiedelei liegt unterhalb des **Monte Castello**. Sie wurde auf den Ruinen einer Scaligerburg errichtet. Faszinierender als die im 16. Jh. nach Veroneser Vorbild gebaute Kirche ist der atemberaubende Ausblick von dem senkrecht abstürzenden Fels auf den tiefblauen See. An klaren Tagen erkennt man am gegenüberliegenden Ufer die Burg von Malcesine, darüber die beiden höchsten Gipfel des Monte-Baldo-Massivs: den Monte Maggiore und die Cima Valdritta. Bei Gargnano endet die alpine Landschaft des nördlichen Gardasees; die Ufer werden flacher, den Reisenden empfängt ein anderes, südländischeres Ambiente.

18 Gargnano

Eine einzigartige Villen- und Gartenanlage am See.

Vor Gargnano ist die tunnelreiche Strecke der *Gardesana occidentale* zu Ende; es beginnt die **Brescianer Riviera** und damit ein anderes, sanfteres Landschaftsbild. Die *Cima de Comèr* schützt bei Gargnano das Ufer vor dem Einfall kalter Nordwinde, und so konnte sich in dem

Nicht ungefährlich war einst der Bau der Wallfahrtskirche von Montecastello – so nah am Abhang

Der Palazzo Bettoni in Bogliaco di Gargnano: Zum See hin entfaltet sich die ganze Schönheit und Eleganz der Fassade aus dem 18. Jh.

milden Klima eine üppige, vielfältige **Vegetation** entfalten. Neben Zitrusbäumen, Oleander und der farbenprächtigen Bougainvillea wachsen hier auch Palmen, Araukarien und mächtige Zedern, die es am Ostufer kaum gibt. Im Jahre 1872 wurde die erste von Süden kommende Straße nach Gargnano gebaut. »Keine Worte drücken die Anmut dieser so reich bewohnten Gegend aus«, begeisterte sich Goethe, als er 1786 auf dem See am Westufer vorbeifuhr. Und tatsächlich ist der Anblick der Uferpromenaden und Villen vom Wasser aus besonders beeindruckend. Lange war Gargnano ein einfaches Fischerdorf mit einem kleinen, verträumten Hafen, ehe es der Tourismus entdeckte. Trotzdem hat es sich seinen Charme und seine Ursprünglichkeit weitgehend bewahren können. Dreizehn Ortschaften, die sich größtenteils am Berghang verteilen, bilden die Kommune mit den Ortsteilen **Villa** und **Bogliaco** direkt am See.

Altstadt

Das von schmalen Sträßchen durchzogene Zentrum gruppiert sich um das Hafenbecken. Hier steht das **Rathaus** aus dem späten 16. Jh. mit schattigen Kolonnaden und einem Brunnen, gesäumt von der kurzen Uferpromenade, wo Oleanderbüsche und Zitrusbäumchen südliches Flair verbreiten. Man fühlt sich in einen Seebadeort en miniature versetzt. Natürlich fehlen nicht die obligaten Cafés und Trattorien, doch hat alles hier einen beschaulicheren Charakter als etwa in Limone oder Malcesine. Am Rathaus erinnern Einschüsse im Mauerwerk an das einzig

spektakuläre Ereignis in der Geschichte des Ortes, als 1866 österreichische Kanonenboote die italienischen und französischen Schiffe angriffen, die sich hierher zurückgezogen hatten. An einigen Häusern hat man Kanonenkugeln als Zeugnisse dieser kriegerischen Begebenheit eingemauert.

Die **Pfarrkirche San Martino** liegt über der Altstadt, ein für den kleinen Ort erstaunlich monumentaler Bau des italienischen Historismus (1837). Ihr Architekt *Rodolfo Vantini* aus Brescia hat sich augenscheinlich das Pantheon von Rom als Vorbild für den Bau genommen. Eine Säulenhalle ist dem ellipsenförmigen Bau vorgesetzt. Der Renaissance-Turm ist Rest einer älteren Vorgängerkirche. In dem ovalen Innenraum mit beachtlichen Ausmaßen sieht man Ölgemälde von *Bertanza*, über dem Hauptaltar eine Madonna, die *Moretto* zugeschrieben wird.

Im Ort besticht der pompöse **Palazzo Feltrinelli**, der Ende des letzten Jahrhunderts von dem Architekten *Solmi* gebaut wurde und schöne, mit Dekorationen ausgestattete Säle beherbergt. Der Palast dient heute der Mailänder Universität als Sommersitz der Kultur- und Sprachkurse für ausländische Studenten. Während des letzten Krieges war das Gebäude einer der Standorte der faschistischen Regierung. *Mussolini* selbst bewohnte eine andere, Richtung Campione gelegene Feltrinelli-Villa.

Am südlichen Ende des Ortes findet man die Kirche und das ehemalige **Kloster San Francesco**. Laut Chronik gründete der heilige Franziskus 1289 hier ein ›Eremitorium‹ (*Einsiedelei*). Die Kirche wurde im 17./18. Jh. verändert, nur die Fassade mit dem harmonischen Rundbogenportal stammt noch aus romanischer Zeit. Erhalten blieb auch der *Kreuzgang*, ein bemerkenswertes Beispiel romanisch-gotischer Architektur. Die spätgotischen Arkaden ruhen auf grazilen Säulen, deren phantasievolle *Kapitelle* besondere Aufmerksamkeit verdienen. Die Ornamente nehmen ausdrücklich Bezug auf die Besonderheiten der Region, sie zeigen Blätter und Früchte von Zitronen- und Orangenbäumen. Sogar die Gardaseeforelle, die ausschließlich im See beheimatet ist, wurde abgebildet.

Bogliaco

Südlich von Gargnano schließt sich Bogliaco an. Auch dieser Ort mit seinem hübschen Hafen ist noch relativ wenig vom Tourismus berührt. Glanzpunkt dieses Teiles von Gargnano ist der **Palazzo des Grafen Bettoni**, der direkt am Seeufer liegt und vom Wasser aus am eindrucksvollsten wirkt. Es handelt sich um eine dreiflügelige Anlage aus dem 18. Jh., die nach einem Entwurf des Veroneser Architekten *Adriano Cristofali* gebaut wurde. Den Mitteltrakt, der beide Seitenflügel überragt, krönt ein dekorativer Figurenfries. Mehrere Lisenen unterteilen die 24fenstrige Front, betonen die gelungene Noblesse der Schauseite des Palastes. Das Innere enthält eine kostbare *Kunstsammlung* mit Gemälden von Paolo Veronese, Morone, Correggio und den beiden Canaletti, aber auch Werke von Dürer, Holbein, Lucas Cranach und Tizian. Sie ist jedoch nicht öffentlich zugänglich. Einmalig in der Region ist die *Gartenanlage*, die sich in Terrassen dem Berghang anpaßt. Sie entstand 1764-67 nach Entwürfen des toskanischen Architekten Amerigo Vincenzo Pierallini. Die elegante Anlage mit prunkvollen, sich raffiniert kreuzenden Treppen, einem Nymphäum und Marmorskulpturen von Omero Cignaroli ist leider durch die moderne Straße von der Villenanlage abgetrennt worden.

Von Gargnano führt eine kurvenreiche Straße hinauf zum **Stausee von Valvestino**. Die liebliche, von Olivenbäumen und Kastanien charakterisierte Landschaft geht bald in eine rauhe, dramatische Gebirgswelt über, die linker Hand der Monte Pizzòcolo (1582 m) dominiert. Vom Lago di Valvestino kann man über Capovalle zum Lago d'Idro hinabfahren.

⑲ Toscolano - Maderno

Lebhafter Ferienort zwischen Gärten und Olivenhainen.

Der Doppelort, der von zwei Brücken über den Toscolano verbunden wird, liegt auf dem breiten Mündungsdelta, welches der Fluß im Lauf der Zeiten in den hier flachen See geschwemmt hat.

Toscolano

Der Name des Ortes ist etruskischen Ursprungs und weist auf eine vorrömische Besiedlung hin. Römische Funde nähren die Vermutung, daß sich im See Reste einer römischen Stadt befinden könnten, die die Römer Benacum nannten. Belegt ist, daß an der Stelle, wo sich heute die Kirche SS. Pietro e Paolo befindet, ein Bacchus-Tempel stand und daß in der **Wallfahrtskirche Madonna del Benaco** bis zum 16. Jh. ein Altar mit vier Säulen und einem Bild des Zeus Ammon aufbewahrt wurde. Erst der hl. Carlo Borromeo ordnete 1580 dessen Beseitigung an, ebenso wie er heidnische Figuren in der Krypta von *San Andrea* in Maderno zerstören ließ. 1463 schrieb ein Reisender: »Im Mittelpunkt der Kirche steht der Altar auf 4 Säulen, auf ihm ein Kapitell mit einem Idol, d.h. mit Zeus Ammon in Form eines Widders. In der Kuppel ist ein Loch, aus dem der Rauch der dargebrachten Opfer stieg.«

Bedeutend ist die am Nordeingang des Ortes gelegene **Apostelkirche SS. Pietro e Paolo**. Der mächtige Bau wurde 1584 nach Entwürfen von *Bertoldo* aus Toscolano errichtet. Er weist ein prunkvolles Portal auf; den dreischiffigen Innenraum tragen starke Säulen. Die

Der Hafen von Toscolano-Maderno, wo die Autofähre aus Torri del Benaco anlegt

Prunkstücke dieser Kirche sind jedoch die zahlreichen *Gemälde* des Venezianers *Andrea Celesti* (1637–1712), die zu den besten Kunstwerken am Gardasee gehören. 22 Arbeiten fügen sich zu einer Art Pinakothek, die der Maler schuf, nachdem er aus Venedig verbannt worden war, weil er den Dogen mit Eselsohren dargestellt hatte. Hervorragend sind die drei überdimensionalen Gemälde, die die Wände hinter dem Chor ausfüllen. Sie zeichnen sich durch intensive Farbgebung und die perfekte Bildgestaltung aus. »Verglichen zu den früheren Werken ist es nicht schwierig, in ihnen überragende kraftvolle Lichteffekte zusammen mit chromatischer Intensität zu erkennen. Diese ist dem Licht des Gardasees zuzuschreiben, das den Maler umgab und seine Farben tränkte«, schreibt der Historiker *Antonio Morassi*.

Beispielhaft in diesem Sinn sind auch die ›Geburt Christi‹ gegenüber der Orgel und die ›Anbetung der Heiligen Drei Könige‹ auf den Orgelflügeln. Die Kirche ist ca. eine Stunde vor den Gottesdiensten zur Besichtigung geöffnet.

Maderno

Bis 1377 war der Ort wichtigstes wirtschaftliches Zentrum der Riviera Bresciana. Otto I. und Friedrich Barbarossa hatten ihm weitreichende Unabhängigkeitsrechte eingeräumt. Im 14. Jh. verlor Maderno jedoch seine privilegierte Stellung, als die Scaliger Salò zur Hauptstadt der ›Comunità della Riviera‹ erhoben [s. Nr. 21]

Heute ist Maderno ein beliebter Ferienort mit einem großen, lebhaften Hafen, mit schönen Villen und Ferienhäusern am Hang und im fruchtbaren Schwemmgebiet des *Toscolano*-Flusses, der aus dem Camerate-Tal kommt. Der **Lungolago** mit seinem lebhaften Geschäftsleben, mit Cafés und Restaurants und zwei Kirchen, von denen die **Pfarrkirche San Ercolano** den Platz beherrscht, ist das Zentrum Madernos.

Zwischen den modernen Häusern sticht die Fassade der **Kirche Sant'Andrea** als ein hervorragendes Beispiel der lombardischen Romanik hervor. In der 2. Hälfte des 12. Jh. auf den Resten eines vorchristlichen Tempels erbaut, fasziniert der Bau von außen vor allem durch die feingearbeiteten Schmuckelemente der aus weißem, grauem und rotem Stein gegliederten Fassade. Das **Portal** mit seinem Säulengewände zeigt eine Vielzahl von Blattmotiven, Arabesken sowie das typische verschlungene Flechtwerk. Man erkennt Greifvögel, ein Lamm und eine doppelschwänzige Sirene, Motive, die in der frühen christlichen Kunst immer wieder auftreten. Basreliefs mit Amoretten und Girlanden aus Blumen und Früchten sind eingearbeitete Überreste römischer Gebäude. An der linken Seitenwand erkennt man sogar eine Biga (röm. Kampfwagen), die auf den Kopf gestellt eingebaut wurden. Der Giebelfries, der die Fassade mit einem kunstvoll gestalteten Rundbogenfenster nach oben abschließt, ruht auf Konsolen, die als menschliche Köpfe gestaltet sind. Die Krypta im Innenraum der Kirche ist nur zur Hälfte unterirdisch, so daß Chor und Altar bühnenartig emporgehoben sind. Hier befand sich ursprünglich der *Sarkophag des San Ercolano*, der neben San Zeno die verehrteste Heiligengestalt des Gardasees ist. Die Legende erzählt, daß er drei Karpfen, die schon auf dem Rost brieten, in den See zurückwarf. Die Streifen des Rostes blieben den Fischen als ewige Zeichen auf ihren Körpern erhalten. 1825 kamen die Reliquien des Heiligen in die gegenüberliegende große Pfarrkirche San Ercolano.

Den dreischiffigen **Innenraum** von Sant'Andrea tragen mächtige Pfeiler, deren Kapitelle wie das Portal großartig gestaltete Reliefs lombardischer Steinmetzen mit Blattwerk, Tieren und Flechtbandwerk aufweisen. An Wänden und Pfeilern erkennt man noch spätgotische Reliefs. Das letzte Joch des rechten Seitenschiffs wurde 1538 im Stil der Renaissance gestaltet. Es fällt sichtlich aus dem Rahmen des romanisch-gotischen Bauwerks.

Valle Toscolano

Im Mittelalter nutzte man den reißenden *Toscolano-Fluß* im Camerate-Tal zum Antreiben von Papiermühlen. Toscolano errang im 14. Jh. europäischen Ruhm für sein Büttenpapier. Drucker aus Treviso, Venedig und Brescia siedelten sich in Toscolano an und vertrieben ihre Produkte bis in den Orient. Die Zeichen Lamm, Schere, Waage und Ochs mit Kreuz garantierten hervorragende Papierqualität. Die Blätter mit den charakteristischen Wasserzeichen helfen heute oft bei der Datierung alter Dokumente. Durch die Industrialisierung ging das alte Handwerk der Papierherstellung verloren.

Heute ist das **Papiermühlental** ein romantisches Freiluftmuseum und ein reizvolles Ziel für Wanderer, die sich für die Relikte dieser alten Tradition interessieren.

Praktische Hinweise

Tel.-Vorwahl Toscolano: 03 65
Information: IAT-Ufficio Informazioni Lungolago Zanardelli, Tel. 64 13 30

Restaurant

Trattoria La Sosta, Via Cecina, 79, Tel. 64 42 95. Die gemütliche Trattoria liegt im Ortsteil Cecina, den man von Toscolano-Maderno aus erreicht. Typische Gerichte der Gardaseeregion, vor allem Fische aus dem See, stehen auf dem der jeweiligen Saison angepaßten Speiseplan. Sehr gute Weinauswahl!

Detail des Portals von Sant'Andrea; beste lombardische Steinmetzarbeiten haben die Zeiten überdauert

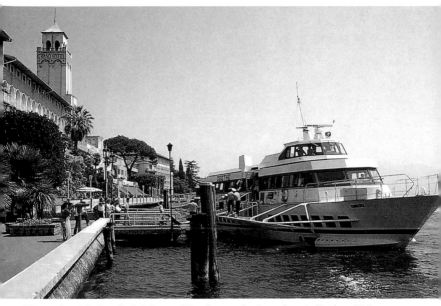

Hier trafen sich einst die Reichen und Berühmten: der Lungolago in Gardone Riviera

20 Gardone Riviera

Einst ›Nizza des Gardasees‹ und Wohnort Gabriele d'Annunzios

Das Städtchen am Westufer des Sees war einst das schönste, reichste und mondänste Bad inmitten des wärmsten, angenehmsten Klimas von Oberitalien. Das Gardone-Gebiet, das die Ortschaften **Fasano** und **Morgnaga** einschließt, wird von den Bergen *Larino, Pizzòcolo* und *Monte Spino* vor den kalten Tramontanawinden geschützt, so daß sich hier bis in 300 m Höhe eine herrliche, farbenprächtige **Mittelmeerflora** behaupten kann.

Gardone

Das von Fischern besiedelte Ufer war 1521 der Republik Venedig zugesprochen worden und blieb bis ins 19. Jh. ein eher unbedeutendes Gebiet. Gardones große Stunde schlug 1880, als das deutsche Ehepaar Louis und Emilia Wimmer nach Gardone kam und sich in die schöne Landschaft mit der üppigen, blumenreichen Vegetation verliebte. Wimmer erkannte, daß ein reiches, verwöhntes Publikum diesen Ort – nicht allzu fern gelegen von den Industriezentren Mailand und Brescia – als Sommer- und Winterresidenz schätzen würde. Wimmer baute das pompöse **Grand Hotel Gardone Riviera**. Ab 1885 setzte der Tourismus

ein; Villen und Landsitze im luxuriösen Stil der Gründerjahre entstanden entlang des Seeufers inmitten prächtiger Gärten, zogen sich den Hang hinauf und lockten die mondäne Welt der Reichen ebenso wie Dichter, Schriftsteller, Politiker und Künstler. Man war unter sich, genoß die paradiesische Landschaft und flanierte entlang der Seepromenade unter Oleander- und Magnolienbäumen.

Diese kurze, aber noch immer elegante Flaniermeile unterhalb der den Ort durchquerenden Gardesana wird von Geschäften und Cafés gesäumt. Im Sommer ist sie hoffnungslos überfüllt, doch in ruhigeren Zeiten vermittelt sie noch immer den Charme und den Glanz einer untergegangenen Epoche. Die verblichene Pracht der Residenzen in **Gardone sotto** weckt nostalgische Gefühle und bezaubert mit dem Flair eines unwiederbringlich verlorengegangenen Lebensgefühls.

Auf der dem Berg zugewandten Seite der *Gardesana occidentale* erhebt sich die prachtvolle, mit Säulen, Karyatiden und einer schwungvollen Freitreppe ausgestattete **Villa Alba**. Sie wurde 1904/05 auf Veranlassung des österreichischen Kaisers inmitten eines von hohen Bäumen beschatteten Parks gebaut, »zur geistigen und körperlichen Erholung«. Doch der Kaiser weilte niemals in dieser Villa. Heute ist sie Kongreßzentrum

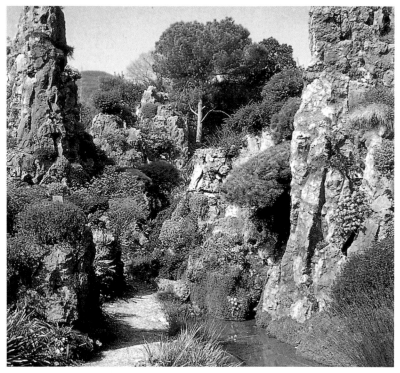

Eine botanische Besonderheit ist der Garten des Professors Arthur Hruska in Gardone

Im Jahre 1943, während der Faschistenherrschaft, quartierte *Mussolini* seine Gefolgschaft in den schönen Villen von Gardone Riviera ein. Seine Mätresse, *Claretta Petacci*, logierte in der **Villa Fiordaliso**, einem eleganten Jugendstilbau direkt am Ufer des Gardasees. Das Haus ist heute ein exklusives kleines Hotel mit Gourmet-Restaurant.

Gardone sopra

Ein empfehlenswerter Spaziergang (Autofahrer nehmen den Viale del Vittoriale) führt hinauf nach Gardone sopra, entlang schöner Parkanlagen und Gärten. Auf halbem Weg lohnt der Besuch des **Giardino Botanico Hruska**, des Botanischen Gartens, der von dem deutschen Professor *Arthur Hruska* zwischen 1910 und 1971 angelegt wurde. Auf kunstvoll gestaltetem Terrain gelang es dem Forscher, alpine, mittelmeerische, afrikanische und asiatische Pflanzen in einem experimentellen Weltgarten zu vereinen. Die Villa des Botanikers ist seit 1988 im Besitz des Multimediakünstlers *André Heller*, der sich um die einzigartige Anlage kümmert (Mitte März – Mitte Okt. 9 – 18.30 Uhr).

Gardone sopra erweist sich als stimmungsvoller, noch relativ ursprünglich gebliebener kleiner Ort, den die barocke **Kirche San Nicola** überragt. Sie liegt auf einer Terrasse, von der man einen superben Ausblick über die Bucht von Gardone, die vorgelagerte Isola del Garda bis zum Monte Baldo und nach Sirmione hat. Das Innere der Kirche, die 1740 an Stelle eines älteren Baus entstand, ist mit üppigem Stuck und großflächigen Fresken ausgestattet.

›Vittoriale degli Italiani‹

Verläßt man den intimen Platz mit Cafés und Geschäften, der sich zu Füßen der zur Kirche ansteigenden Treppen ausbreitet, und tritt durch den zur Straße führenden Torbogen, öffnet sich unversehens eine ganz andere, verblüffende Perspektive. Man erreicht den Vorhof zu Gardones Hauptattraktion, dem Anziehungspunkt für Tausende von Besuchern: den Vittoriale degli Italiani, ein Geschenk des Dichters **Gabriele d'Annunzio** (1863 – 1938) an den italienischen Staat. Zumindest dem ausländischen Besucher fällt es schwer, diese Art

58

›Heiligtum‹ in seinem patriotischen Sinn und Anspruch zu begreifen. Der Besuch der Villa und der ausgedehnten Anlage des Vittoriale ist aber in jedem Fall lohnenswert und gibt Einsicht in das Leben, das Denken und die Ziele eines der bekanntesten Dichter Italiens.

D'Annunzio war 1921 in die *Villa Cargnacco* eingezogen, die vorher dem Dresdner Kunsthistoriker Henry Thode gehörte, der sie aber Ende des 1. Weltkrieges aufgeben mußte. D'Annunzio ließ die im Stil oberitalienischer Landhäuser gebaute Villa erweitern und umbauen. Die pompöse, mit Kunstwerken, patriotischen Symbolen und Reliquien aus seiner Militärzeit angefüllte ›Priora‹ wurde zu einer Stätte effektvoller Selbstprofilierung, zum Weiheort eines heroischen Patriotismus, in welchem der Dichter als selbsternannter Hohepriester wirkte.

In der neun Hektar großen **Gartenanlage** rings um das Wohnhaus ließ d'Annunzio von seinem Architekten *Gian Carlo Maroni* verschiedene Bauten errichten, um seinen Plan, ein nationales Denkmal für die Italiener zu schaffen, zu verwirklichen. Im Zentrum des Programms blieb dabei immer seine eigene Person, selbst bis in den Tod.

Das **Mausoleum**, das er sich bauen ließ, steht an überragender Stelle im Park. Im Kreise von gefallenen Kriegskameraden fand er hier seine letzte Ruhestätte. 15 Jahre vor seinem Tode – 1923 – vermachte er den gesamten Komplex dem Vaterland.

D'Annunzio war zum einen Dichter und Schriftsteller, zum anderen aber auch Krieger, Kämpfer, ein glühender Verehrer von Militär und Heldentum. Der alte Fiat, mit dem er in Fiume einfuhr (s. S. 61), fand seinen Platz im Museum der Anlage, ebenso wie das klapprige Flugzeug, mit dem er 1918 über Wien kreiste und anti-österreichische Flugblätter abwarf. Das Vorschiff des Kreuzers *Puglia*, das ihm die Marine geschenkt hatte, liegt heute wie ein gestrandetes Wrack inmitten von Olivenbäumen und Zypressen. D'Annunzio hatte es mühevoll herbeischaffen und in seinem Park für alle Zeiten vor Anker gehen lassen. Der Garten ist gespickt mit militärischen Erinnerungen. Über allem aber thront das Mausoleum als Totenkultstätte, in der der Held und seine Mitstreiter die letzte Ruhe fanden: ein riesiges, mit marmornen Tomben bestücktes Rund, dessen kalte, überdimensionierte Architektur an faschistische Bauten erinnert. Unvergleichlich ist jedoch der Blick über den See und die ihn umgebende Landschaft.

Den geistigen Mittelpunkt des Vittoriale bildet die **Villa**, in der d'Annunzio lebte und seine großen Auftritte vor Freunden und Politikern zelebrierte. Die Einrichtung war schon zu Lebzeiten eine museale Sammlung der Erinnerungsstücke aus seinem Leben, seinem literarischen Schaffen und seinen Begegnungen mit Frauen. Hervorragende Kunstwerke finden sich hier Seite an Seite mit Kitsch, sentimentalen oder geschmacklosen Erinnerungsstücken. Ein Beispiel ist das **Reliquienzimmer**: Zwischen christlichen

Römische Grabmäler dienten als Vorbilder für das pompöse Mausoleum Gabriele d'Annunzios

Kultische Selbstinszenierung bis zum Ende: die Totenmaske d'Annunzios in der Villa des ›Vittoriale‹

Kultgegenständen, Heiligen und fernöstlichen Götteridolen liegt das zerbrochene Lenkrad eines Bootes, mit dem Sir Henry Segrave 1930 tödlich verunglückte, als er den Geschwindigkeitsrekord für Motorboote brechen wollte. Der Wettkampf, der auf dem Windermere-See in England stattfand, war eine Idee d'Annunzios gewesen. Der zentrale Raum des Hauses ist das **Musikzimmer**, reich ausgestattet mit Dekorationsstoffen (wegen der Akustik), mit beleuchteten Glasbehältern, verschiedenen Musikinstrumenten und einer Totenmaske von Liszt. Die unglaubliche Anhäufung von Gegenständen (allein im Badezimmer sind einige hundert), die penetrante Symbolik von Bildern und Arrangements echter und nachgemachter Kunstwerke wirkt bedrückend und verwirrend. Dies alles erzählt viel über die Psyche des »Interpreten des menschlichen Wahnsinns«, wie sich d'Annunzio selbst bezeichnete. Höhepunkt dieser geistigen Haltung ist das **Zimmer des Aussätzigen**, das er eine »Zelle der reinen Gestalt« nannte. Mittelpunkt des abgedunkelten, bedrückenden Raumes ist der Alkoven mit dem Bett ›der zwei Lebensalter‹ in Form von Wiege und Sarg. Daneben steht eine Figur des *hl. Sebastian als Märtyrer*.

Kostbar und beeindruckend ist die *Sammlung von Büchern*, die d'Annunzio

teilweise von Henry Thode übernommen hat. Verwirrend und aufschlußreich die zahlreichen Sinnsprüche, die der Dichter an Wänden und über Türstürzen anbringen ließ, Leitfäden durch ein narzißtisches Leben und eine übertriebene Selbstdarstellung. Der einzig helle Raum ist die *›officina‹*, der **Arbeitsraum**, in den der Eintretende in gebückter Haltung durch eine niedrige Tür gelangt: eine Verbeugung vor der Kunst, die hier geschaffen wurde.

Auffallend ist die mit einem Tuch bedeckte Büste der *Eleonora Duse*, der langjährigen Freundin des Schriftstellers. *Verschleiertes Zeugnis* nannte d'Annunzio den Kopf, den er während seiner Arbeitsstunden verhüllte. Für die große Schauspielerin schrieb er eine Anzahl von Dramen. Eigens für sie ließ er das **Theater** erbauen, in dem seine Stücke mit der Gardaseelandschaft als Kulisse aufgeführt werden sollten. D'Annunzio hat die Fertigstellung des Theaters nicht mehr erlebt. Heute finden hier im Sommer Freilichtaufführungen statt.

Links von der ›Prioria‹ mit der auffallenden, mit Wappen geschmückten Fassade ließ d'Annunzio das *Schiffamondo* (›ekelhafte Welt‹) bauen, ein einfaches Haus, in das er sich »angeekelt von der Welt« zurückziehen wollte. Heute enthält es das **d'Annunzio-Museum** mit Hand-

Esprit und Größenwahn – Gabriele d'Annunzio

Unter dem Namen Antonio Rapagnetta wurde er 1863 in Pescara geboren. Schon mit seinem ersten Gedichtband – ›Primo Vere‹, 1879 – erregte der Sohn einer bürgerlichen Familie Aufsehen. Von 1881 bis 1891 lebte er in Rom, wo er Gedichte, Erzählungen und 1889 den ersten Roman ›Il Piacere‹ (›Lust‹) schrieb. Zahlreiche dramatische Werke entstanden unter dem Einfluß seiner Verbindung zu **Eleonora Duse**, *die von 1897 bis 1904 dauerte. Die Zeit zwischen 1898 und 1910 verbrachte er in Settignano bei Florenz, bevor finanzielle Schwierigkeiten den Lebemann und Frauenhelden zwangen, nach Frankreich überzusiedeln. Hier schrieb er das von Claude Débussy vertonte Drama ›Das Martyrium des hl. Sebastian‹.*

Mit Ausbruch des 1. Weltkriegs begann d'Annunzios heroische Zeit. Obwohl schon 52 Jahre alt, nahm er aktiv am Kriegsgeschehen teil, um sich heldenhaft zu gebärden. Berühmt wurde er, als er 1919 als Kommandant einer Gruppe italienischer Soldaten im Handstreich **Fiume** *(Rijeka) einnahm und dort einen Freistaat errichtete, der jedoch kaum länger als ein Jahr existierte. Nach Italien zurückgekehrt, erhielt der ›Held von Fiume‹ aber nicht die erhoffte politische Anerkennung.* **Mussolini** *lehnte eine politische Zusammenarbeit mit d'Annunzio ab. Schmollend zog sich der Dichter bis zu seinem Tod 1938 in seine Villa am Gardasee zurück und widmete sich vorwiegend seiner Liebe zu Frauen und seiner übertriebenen Selbstdarstellung. Neue Dichtungen entstanden nicht mehr.*

Vor allem in d'Annunzios Romanen fand das Lebensgefühl des **Fin de siècle** *seinen Ausdruck. Der Dichter bekannte sich zu exzessiver Sexualität, zu Unmoral und Antidemokratie. Im Pathos seiner Werke klangen bereits faschistische Töne an. Thomas Mann verurteilte die ›Schönheitsgroßmäuligkeit des d'Annunzio‹. Reizvoller erscheint dagegen – bis heute – seine Lyrik.*

schriften und Dokumenten zu seinem Leben.

Öffnungszeiten Park: Okt. – März 9 – 12.30, 14 – 18 Uhr, Apr. – Sept. 8.30 – 20 Uhr; Villa: Di – So 10 – 13.30, 14.30 – 18 Uhr

Praktische Hinweise

Tel.-Vorwahl Gardone: 03 65
Information: IAT-Ufficio Informazioni, Via Roma, 8, Tel. 29 04 11, Fax 29 00 25

Hotels und Restaurants

**** **Hotel Villa del Sogno**, Loc. Fasano, Tel. 29 01 81, Fax 29 02 30. Diese Villa der Jahrhundertwende ist wirklich ein Traum: die Lage über dem See, die stilvolle Einrichtung, der gepflegte Park mit Schwimmbad und Tennisplätzen.

**** **Fasano Grand Hotel**, Loc. Fasano, Tel. 29 02 20, Fax 29 02 21. Altes Jagdhaus des Kaisers am Seeufer, sehr gemütlich eingerichtet, nostalgischer Charme.

*** **Villa Fiordaliso**, Via Zanardelli, 132, Tel. 2 01 58, Fax 29 00 11. Hotel mit nur 7 Zimmern, die Einrichtung ist von erlesener Eleganz; romantischer Garten am See; das Restaurant gilt als eines der besten der Region.

*** **Hotel Bellevue**, Via Zanardelli, 81, Tel. 29 00 88, Fax 29 00 80. Hübsche Villa mit Garten und herrlichem Seeblick, Schwimmbad und Terrasse.

Trattoria ›da Marietta Belvedere‹, Via Montecucco, 62, Tel. 2 09 60. Hoch über Gardone liegt diese gemütliche Trattoria mit einer Einrichtung aus Großmutters Zeiten; vorzügliche Küche.

21 Salò

Die einzige größere Stadt direkt am See.

Salò, das am Ende eines schmalen, reizvollen Golfes angesiedelt ist, wird vom *Monte Bartolomeo* geschützt, dessen Abhänge im unteren Drittel von Oliven, Lorbeerbäumen und Weinreben bewachsen sind. Am gegenüberliegenden Ufer beginnen die Hügel von *Portese* und *San Felice*. Vorgelagert ist die romantische **Isola di Garda** mit einem Palast aus dem 19. Jh.

Geschichte In römischer Zeit war Salò ein wichtiger Verwaltungsort mit Tempeln, Türmen, Brücken und einem Hafen. Zahlreiche Funde belegen die Besiedlung durch die Römer, doch Daten ha

Stilvolle Kolonnaden säumen den Lungolago von Salò

ben sich nicht erhalten. Im **Mittelalter** band sich die Gemeinde an Brescia. Als Beatrice Regina della Scala einen Visconti aus Mailand heiratete, verfügte sie 1377, daß Salò Hauptort der Riviera wurde und Maderno seine Vorrangstellung verlor. Weil sich Salò später freiwillig der **Herrschaft Venedigs** unterwarf, blieb es Mittelpunkt der *Comunità della Riviera*. Bis 1797 sorgte die Serenissima dafür, daß die Stadt unabhängig blieb, so daß sie sich ungestört entfalten und einen städtischen Charakter entwickeln konnte.

Besichtigung Salò ist ein angenehmes Städtchen mit engen Straßen, einem relativ breiten Angebot an Geschäften, mit guten Hotels und Restaurants. Zwei erhaltene Stadttore rahmen den alten Stadtkern ein, im Norden das **Karmelitertor**, im Süden das **Garibaldi-** oder **Uhrturmtor**. Die zwei eingebauten Uhren erinnern daran, daß es in Salò eine Tradition für den Bau von Turmuhren gab. Am **Lungolago Zarnadelli** reihen sich Bauten aus verschiedenen Epochen aneinander. Besonders stimmungsvoll sind die Kolonnaden des Venezianischen Statthalterpalastes, die in die Arkaden des alten Rathauses übergehen.

Das **Rathaus** stammt aus dem 14. Jh. Bei dem Erdbeben von 1901 wurde es zu-

sammen mit dem gesamten historischen Stadtkern vernichtet. Der Wiederaufbau im alten Stil war bereits 1905 abgeschlossen. Der Arkadengang und die Fassade stammen von dem berühmten venezianischen Architekten *Sansovino* (1486 bis 1570). Das Gebäude wurde mit Skulpturen und Gemälden ausgestattet, darunter eine Büste des *Gaspare Bertolotti* oder Gaspare von Salò. Er lebte zwischen 1540 und 1609 in Salò und wurde als Geigenbauer berühmt. Gaspare war es, der dem Instrument seine heutige Form gab. Dem Rathaus angebaut ist der **Palazzo della Magnifica Patria** von 1524, ehemals Sitz des venezianischen Statthalters.

Im Rathaus ist das *Museo Civico Archeologico* untergebracht, wo in drei Sälen römische Kunstwerke zu sehen sind.

Öffnungszeiten: Di–So 10–12, 17–19 Uhr, im Winter Sa/So 10–12, 16–18 Uhr

Unweit des südlichen Stadttors stößt man inmitten des lebhaften Straßengewirrs auf die Kirche **San Giovanni Decollato**. Das Tafelbild über dem Hochaltar ist ein sehenswertes Werk des *Zenon Veronese* (1484-1554), der in Salò lebte und fast ausschließlich am Gardasee arbeitete. Es hat die *Enthauptung Johannes des Täufers* zum Inhalt. Das Haupt des Heiligen wird der Salome inmitten einer dekorativen Renaissancearchitektur auf einem Teller dargebracht; im Hintergrund öffnet sich eine Gebirgslandschaft.

Duomo Santa Maria Annunziata

Am nördlichen Ende des Lungolago steht der Dom von Salò, das größte und zugleich bedeutendste Gotteshaus am Gardasee. Die schmucklose Backsteinfassade läßt kaum vermuten, daß die Kirche einen hervorragenden Schatz an Kunstwerken birgt. Aufgelockert wird die Strenge der Fassade einzig durch ein schönes Marmorportal. Typisch für die Renaissance ist die Verwendung des **Triumphbogens**, der hier von Doppelsäulen getragen und von einem reichverzierten Giebel bekrönt wird. Oben im Tympanon erscheint Gottvater als Schirmherr der Verkündigungsszene, die sich zu seiten des Torbogens abspielt: dem von links herbeieilenden Engel Gabriel schaut rechts Maria entgegen. Im Schatten des Bogens werden die Apostel Petrus und Paulus Zeugen des Ereignisses. Der Dom wurde 1493 im Stil der Spätgotik begonnen. Eine Anzahl von Seitenkapellen ist erst im 16. Jh. eingefügt worden. Das **Presbyterium** überwölbt eine große Kuppel mit 8 Fenstern.

Der riesige, dreischiffige **Innenraum** wirkt düster. Die hohen Fenster gotischer Kathedralen in Deutschland, England oder Frankreich fanden hier keine Nachahmung. Acht Säulen und vier Halbsäulen, die in mit Blattwerk verzierten Kapitelle enden, tragen die schweren, auseinandergezogenen Bögen. Aus diesen entspringt das Kreuzrippengewölbe, das 1591 von *Tommaso Sandrino* mit floralen Dekorationen in manieristischem Stil verziert wurde.

Beginnt man den Rundgang links vom Portal, sieht man in der ersten **Kapelle des linken Seitenschiffs** ein großes, spätgotisches *Kruzifix* mit Johannes und Maria als Begleitfiguren des Meisters *Hans von Ulm* (1449). Zwischen der ersten und zweiten Kapelle verdient ein kleines *Holzretabel* Beachtung. Die Madonna, von Heiligen umgeben, thront zwischen auf Halbsäulen ruhenden gotischen Spitzbögen. Es ist ein sehr schönes Werk der frühen venezianischen Gotik, geschaffen von *Paolo Veneziano* (1300–1362). Darüber hängt ein Bild von Gerolamo da Romano, gen. *Romanino* (1486–1560), auf dem die *Muttergottes mit Kind* zwischen dem hl. Sebastian und dem hl. Bonaventura vor einem Bau dargestellt ist.

An der nächsten Zwischenwand ist ein weiteres Werk des Brescianer Meisters *Romanino* zu sehen: ein Bildnis des *hl. Antonius von Padua* vor einer Landschaft mit Burgruine. Erstaunlich ist das Verhalten der Engel, die sich verächtlich von dem *Stifter des Bildes*, einem dicken, mürrischen Mann, abwenden. Romanino hat ihn offenbar nicht sehr geschätzt. Der Maler, der zeitlebens in Konkurrenz mit dem anderen Brescianer Künstler *Moretto* (1498–1554) stand, war ein Meister des Porträts und der Charakterdarstellung. Offensichtlich scheute er auch nicht Ironie und Satire. An der nächsten Zwischenwand verdient ein Bild *Andrea Celestis* – die Himmelfahrt Mariens – Aufmerksamkeit. Einen Vergleich zwischen Romanino und Moretto ermöglicht der Besuch der vierten Kapelle. Hier befindet sich ein großes Gemälde *Morettos* mit den Heiligen Antonius, Sebastian und Rocco. Die lieblichere und gefälligere Malweise Morettos fand zu Lebzeiten der beiden Künstler mehr Anklang als die des kritischen Romanino.

Links und rechts des **Chores** sieht man zwei weitere bedeutende Werke des Doms: links eine Anbetung der Könige von *Andrea Celesti*, rechts eine Geburt Christi von *Zenon Veronese*. Dahinter öffnet sich der große Chor, in dessen Mittelpunkt ein hoher, in Goldglanz erstrahlender *Altaraufsatz* der Spätgotik steht. Zwischen feingearbeiteten Architekturelementen – Bögen, Fialen, Säulen – sind über zwei Geschosse zehn Holzskulpturen von Heiligen – im Mittelpunkt die

Das marmorne Renaissanceportal des Domes

Der Innenraum des Domes fasziniert durch seine hervorragenden Kunstwerke

Madonna – aufgestellt. Der Altar, der sich früher an der Rückwand der Apsis befand, wurde vorgerückt und über dem Altartisch erhöht aufgestellt, als man die Wände des Presbyteriums, das Gewölbe des Chores sowie die Flügel der Orgel durch den Barockmaler *Palma il Giovane* (1544–1628) mit **Fresken** ausmalen ließ. Der venezianische Meister – ein Großneffe des bekannten Palma il Vecchio – schuf zusammen mit seinen Gehilfen das große Mittelfresko ›*Mariä Himmelfahrt*‹, eine Serie von Gemälden, die Szenen aus dem Leben Mariens darstellen und die vier Evangelisten in den Gewölbenischen. Die Malereien auf den Flügeln der Orgel beinhalten Episoden aus dem Alten Testament.

Unter dem **Triumphbogen** ist ein riesiges spätgotisches *Kreuz* (1449) aufgehängt, ebenfalls eine Arbeit des *Hans von Ulm*. Rechts vom Chor schließt sich die **Sakramentskapelle**, die größte der

Seitenkapellen, an. Für ihre Ausschmückung ließ man *Giovanni Battista Trotti*, gen. Malosso, aus Cremona kommen. Er malte das großartige Deckenfresko mit Scheinarchitekturen und schwungvollen, gewagten Perspektiven, welches das Paradies zum Thema hat.

Die **Kapellen des rechten Seitenschiffes** sind gleichermaßen reich ausgestattet mit Gemälden und Fresken. Sehr schön sind drei weitere Werke *Zenon Veroneses*: in der Kapelle gleich neben der Sakramentskapelle cine meisterhaft komponierte ›*Grablegung*‹, an der Wand zwischen dieser und der nächsten Kapelle Darstellungen der Heiligen Petrus, Johannes und Paulus und in der letzten Kapelle noch ein Bild des hl. Hieronymus. In der gleichen Kapelle sieht man eine Grablegung. Lebensgroße, sehr ausdrucksstarke Figuren, Arbeiten einer unbekannten Südtiroler Schule aus dem 16. Jh., gruppieren sich zu der von Trauer erfüllten Szene.

Über dem Portal sollte man die *Fresken* beachten, die gleichfalls *Hans von Ulm* zugeschrieben werden, der über einen längeren Zeitraum in Salò arbeitete.

In der jüngeren Geschichte ist Salò als ›Gespensterrepublik‹ Mussolinis berühmt geworden. Mit Hilfe der deutschen Nationalsozialisten errichtete der Duce – aus Rom vertrieben – im September 1943 am Westufer des Gardasees seine ›Faschistische Sozialrepublik‹, die in requirierten Villen und Hotels residierte, gesichert durch Straßensperren und Truppen der deutschen SS. Diese Republik, die trotz allem Imponiergehabe politisch keine Bedeutung mehr hatte, dauerte nicht ganz 20 Monate. Der Zusammenbruch der deutschen Front in Norditalien brachte das Ende. Die mit den Alliierten geführten Verhandlungen beschleunigten den Fall Mussolinis und seines Geisterstaates. Die italienische Partisanenbewegung weitete sich zum offenen Aufstand aus. Am 28. 4. 1945 wurde der ›Duce‹ von kommunistischen Partisanen getötet.

Praktische Hinweise

Tel.-Vorwahl Salò: 03 65
Information: IAT, Lungolago Zarnadelli, 39, Tel. 2 14 23, Fax 2 03 47

Hotels und Restaurants

**** Romantik Hotel Laurin, Viale Landi, 9, Tel. 2 20 22, Fax 2 23 82. Eines der schönsten Hotels am See, Jugendstilvilla der Jahrhundertwende, ein luxuriöses, stilvolles Ambiente mit Dependance direkt am See; anspruchsvolles Restaurant in erlesener Umgebung.

*** Hotel Benaco, Lungolago Zanardelli, 44, Tel. 2 03 08, Fax 2 07 24. Modern eingerichtetes Haus direkt an der Seepromenade mit Blick auf den Golf.

** Hotel Lepanto, Lungolago Zanardelli, 67, Tel., Fax 2 04 28. Sehr schön gelegenes altes Haus, das neu renoviert wurde; direkt am See gelegen. Das Restaurant mit Terrasse hat eine empfehlenswerte Küche.

Trattoria La Campagnola, Via Brunati, 11, Tel. 2 21 53. Hier werden viele Produkte im Haus selbst hergestellt; die Gemüse und Gewürze gedeihen im eigenen Garten.

Antica Trattoria alle Rose, Via Gasparo da Salò, 33, Tel. 4 32 20. Schlicht eingerichtet, aber mit hervorragender Küche und ausgezeichneten Weinen.

22 Das Valténesi

Malerische Dörfer, Weingarten und alte Wehrburgen.

In Salò verläßt die Straße das Seeufer und führt im Landesinnern weiter in Richtung Desenzano. Es empfiehlt sich jedoch, die Bucht von Salò ganz zu umfahren, um später auf die Hauptstraße zurückzukeh-

Verspieltes Jugendstilfenster im Hotel Laurin in Salò

ren. Auf dieser Strecke hat man sehr schöne Ausblicke auf die Stadt, den Golf und die dahinter aufragenden Berge. Die Landschaft wird nun, je weiter man nach Süden fährt, immer lieblicher. Durch die Ablagerung der Endmoränen der Eiszeitgletscher entstand das sanfte **Hügelland** des Valténesi, das außerordentlich fruchtbar ist. Ölbäume und Zypressen wachsen zwischen ausgedehnten Weinhängen und schaffen eine heitere, mittelmeerische Atmosphäre. Der Wein, der hier gedeiht, ist weniger bekannt als der Bardolino oder Valpolicella am anderen Ufer des Gardasees. Der leichte, schlanke *DOC Riviera Bresciana* ist gleichwohl ein vorzüglicher roter Wein. Beliebt ist auch der *Chiaretto del Garda*, ein süffiger Rosé, der zwischen Desenzano und Portese große Verbreitung gefunden hat.

Fährt man auf dem See entlang der Küste, fällt die schroff ins Wasser abfallende *Rocca di Manerba* auf, letztes Relikt des felsigen Gebirges in der nun weich auslaufenden Hügelwelt. Von der *Punta di Manerba*, der weit in den See herausragenden Landzunge, verläuft eine Riffkette, die die Punta mit den beiden Inseln *San Biagio* und *Isola di Garda* verbindet. Sie ist Teil eines abgesunkenen Gebirgsrückens. Zu gewissen Jahreszeiten erlaubt der flache Grund, die Insel San Biagio, auf der unter Zypressen ein Campingplatz eingerichtet wurde, watend zu erreichen.

Die **Isola di Garda** mit ihrem romantischen Palastbau wirkt wie eine verträumte Märcheninsel. Das *Schloß Scipione-Borghese*, das im Stil venezianischer Neugotik 1884-1901 erbaut wurde, wird von den Erben der Grafenfamilie Cavazza bewohnt und ist nicht zugänglich. Es lohnt sich jedoch, die Insel mit der ausgedehnten Parkanlage, in der alle am Gardasee heimischen Pflanzen vertreten sind, per Schiff zu umrunden.

23 San Felice del Benaco

Eine sehenswerte Wallfahrtskirche und ein romantischer Hafen.

Den nördlichen Teil des Valténesi umfaßt das weitgestreute Gebiet der Ortschaft San Felice del Benaco. Unten am Seeufer liegt der kleine malerische **Hafen Portese**, einst ein bedeutendes Fischereizentrum. Ein Spaziergang entlang der Küste führt zu der kleinen Kirche **San Fermo** aus dem 15. Jh. (Nur für Gottesdienste

geöffnet.) Im Innern sieht man Fresken, die dem Künstler *Hans von Ulm* zugeschrieben werden. San Felice del Benaco, das noch den alten Namen des Sees trägt, liegt weiter oben auf dem Hügel. Aus dem Gewirr schmaler, alter Gassen erhebt sich überragend der stattliche Bau der **Pfarrkirche**, die den Märtyrern Felice, Adauto sowie der heiligen Flavia geweiht ist. Den großen, barock gestalteten Innenraum überwölbt eine ovale Kuppel. Das *Altarbild*, das den Patron *San Felice* zum Mittelpunkt hat, ist eine allerdings weniger bedeutende – Arbeit des Brescianer Malers *Romanino*. Die Deckenfresken im Schiff malte zwischen 1759–61 *Carlo Carloni* im üppigen Stil des Barock. Außen, an der Ostwand der Kirche, ist ein römischer Stein eingelassen, der dem Neptun geweiht ist.

Etwas außerhalb der Ortschaft (man folge den Hinweisschildern »Santuario del Carmine«) liegt zwischen Weinbergen die sehr sehenswerte Wallfahrtskirche **Santa Maria del Carmine**. Sie wurde zwischen 1452 und 1482 für ein Karmeliterkloster gebaut. Nachdem Napoleon den Konvent 1770 auflösen ließ, schien die Kirche dem Verfall preisgegeben. Doch der Orden kehrte 1952 zurück und renovierte den wertvollen Kirchenbau. Außen hat die einschiffige Saalkirche einzig ein kleines, von Säulen getragenes Portal als Fassadenschmuck. Um so stärker ist der Eindruck, wenn man den **Innenraum** betritt, der mit reicher **Freskenmalerei** ausgestattet ist. Die künstlerisch bedeutenden Werke stammen von der Wende des 15. zum 16. Jh. und sind interessante Beispiele des Übergangs der Spätgotik zur Renaissance.

Im Mittelpunkt der Verehrung steht die wundertätige, hölzerne **Madonnenfigur**, *›Patrona della Valténesi‹*. Sie ist umgeben von einer aufwendigen, mit Scheinarchitekturen und dekorativen Elementen bereicherten Bildszenerie. Ganz oben Gottvater, darunter eine anmutige Verkündigungsszene inmitten einer Phantasiearchitektur. Die Madonna, die in einer gemalten Nische thront, wird von den Propheten Elias und Eliseus umgeben.

Der Patron der Karmeliter, *Sankt Albert*, ist auf einem großen Fresko links vom Chor zu sehen, umgeben von Medaillons anderer Heiliger des Ordens. Mit den Füßen zertritt er den Satan.

Auffallend ist, daß sich eine Anzahl von Madonnen- und Heiligenbildern an den Wänden in abgewandelter Form

Einer der Hauptorte der lieblichen Hügellandschaft des Valténesi ist San Felice del Benaco

mehrfach wiederholt. Diese Vielfalt an Heiligenfiguren zeichnet die große Bedeutung des Wallfahrtsortes für die Pilger aus. Je häufiger Maria und die Heiligen – ihrer jeweiligen Funktion gemäß – dargestellt waren, desto umfassender war auch ihre Fürsorge. Die Madonna z. B. brachte als Annunziata, Pictà oder del Rosario Hilfe für die verschiedensten Anliegen und Notlagen. Selbst auf den weniger Heilsgläubigen, aber Kunstinteressierten üben die Fresken ob ihrer Qualität eine besondere Faszination aus. Sie erinnern in ihrem Stil an die Schule Mantegnas und an Paolo Uccello.

24 Manerba, Moniga und Padenghe

In die Hügel gebettete Orte mit schönen Ausblicken.

Südlich von San Felice del Benaco gelangt man in die weitverstreuten Gemeinden Manerba, Moniga und Padenghe. Teile der Ortschaften haben sich auf verschiedenen Hügeln angesiedelt, von denen man schöne Ausblicke auf den See mit dem Gebirge und auf die ländliche Umgebung hat. Leider wird auch dieser noch relativ ruhig und ursprünglich gebliebene Winkel des Gardasees mehr und mehr verbaut und zersiedelt. An dem flachen Ufer mit ausgedehnten Stränden sind zahlreiche Campingplätze und Ferienwohnungen angesiedelt.

Die Geschichte dieses südlichen Teiles des Valténesi [vgl. S. 65] war außerordentlich wechselhaft und kriegerisch. Die Bewohner mußten sich jahrhundertelang gegen einfallende Feinde, Plünderer, Eroberer wehren. Keine Felsbarrieren schützten die Siedler vor den Eroberungsgelüsten von Hunnen, Magyaren, vor Langobarden und Franken. Das Gebiet war auch ein beständiger Zankapfel zwischen Verona, Mailand und Brescia. Erst unter dem Schutz Venedigs begann – wie überall am Gardasee – eine friedlichere Epoche.

Einst lagen am Seeufer die kaisertreuen Städte **Manerba** und **Scovolo**; 1276 wurden sie von den Brescianer Guelfen gänzlich zerstört und danach nie mehr wieder aufgebaut. Daher verwundert es nicht, daß auf den Hügeln mächtige **Festungsanlagen** entstanden, die das Land gegen Eindringlinge verteidigten und den Bewohnern Schutz boten. Die Ruinen, die man noch heute sieht, gehen bis auf das 8./9. Jh. zurück. Inzwischen haben sie freilich ihren Verteidigungscharakter verloren. In **Moniga** und **Padenghe** haben sich kleine Dörfer gemütlich zwischen den mächtigen Wehrmauern eingerichtet. Die *Burg* von Padenghe, die die Umgebung weit sichtbar dominiert, ist die älteste und war einst die trutzigste. Der eigentliche Ort Padenghe gruppiert sich um den beherrschenden Burgberg. Einen Besuch wert ist die barocke *Pfarrkirche Santa Maria Assunta*, die ein Renaissancebild von *Zenon Veronese* (1484–1554) birgt (2. Seitenkapelle links). Es zeigt eine thronende Madonna mit Heiligen.

Der Stadtplatz mit den zahlreichen Bars und Cafés, Mittelpunkt Desenzanos

Praktische Hinweise

Restaurants

Ristorante Gallo d'Oro, Moniga del Garda, Piazza S. Martino, Tel. 03 65/ 50 24 05. Preiswertes, gutgeführtes Lokal, gepflegte Weine, alte Einrichtung.

Ristorante Tenesi, Crociale di Manerba, Via Roma, 2, Tel. 03 65/55 12 98. Einfach eingerichtetes Restaurant mit vorzüglicher Küche; lassen Sie sich vom Patron beraten! Es liegt an der Kreuzung der Straße Desenzano/ Manerba.

25 Desenzano

Schiffahrt und Handel prägten die Stadt seit den Zeiten der Römer.

Wie ein Amphitheater öffnet sich die von Moränischen Hügeln umgebene Bucht von Desenzano. Die Stadt schaut gleichsam von einem Aussichtsbalkon über den See, das Gebirge im Hintergrund und über die vorgeschobene Halbinsel von Sirmione. Schon im Altertum war sie ein bedeutender Verkehrsknotenpunkt; die Schiffahrt blickt auf eine lange Tradition zurück.

Geschichte   Im Ortsteil *Rivoltella*, das an der römischen Via Gallia lag, befand sich im Altertum ein *Mansio ad flexum*, d.h. eine strategisch bedeutende Poststation.

Über Jahrhunderte entwickelte sich der **Hafen** von Desenzano als ein wichtiger Handelsplatz. Von hier wurden Getreide und andere Güter nach Riva verschifft, um von dort aus über die Alpen transportiert zu werden. Vor allem während der venezianischen Herrschaft blühte Desenzano als Umschlagplatz beträchtlicher Mengen an Gütern auf. Der Kern der Stadt erinnert noch heute an diese Zeit, da sich Handelsherren rings um das kleine, geschützte Hafenbecken niederließen, das weit hineingezogen ist in das Marktgeschehen. Sie bauten noble Häuser und Palazzi über schattigen Arkadenbögen, unter denen die Marktleute ihren Geschäften nachgingen. Die Frontseite des alten Hafens begrenzt das Stadthaus mit mächtigen Kolonnaden und einem rustikalen Mauerwerk. Der weite, dreiecksförmige Platz mit schönen alten Häuserfassaden vermittelt noch heute etwas von dem Selbstbewußtsein und dem Wohlstand der einflußreichen Geschäftsleute.

Besichtigung Einen Hauch des emsigen Treibens vermag man noch zu verspüren, wenn sich dienstags der große **Wochenmarkt** am Seeufer und den angrenzenden Straßen ausbreitet.

Eine Brücke im venezianischen Stil überwölbt den Zugang vom See in das Miniaturbecken im Stadtbereich. Es spielt heute nur noch eine untergeordnete Rolle und erscheint eher als malerisches Relikt vergangener Zeiten. Eine Anzahl von Yachtmarinas am Seeufer sowie der große, von einem Leuchtturm beschützte Hafen für die Fähren und Ausflugsschiffe zeigen, daß Desenzano ein nautisches Zentrum geblieben ist, auch wenn sich die Akzente verschoben haben.

Über den schmalen, verwinkelten Gassen thronen noch die Ruinen eines **Kastells**, das über Jahrhunderte als Fluchtburg und Wehranlage diente während der zahllosen Fehden, von denen auch Desenzano nicht verschont blieb. Das Ende dieser Burg brachte die Besetzung durch die Österreicher, die den Bau als Kaserne benutzten. Heute ist wenig Sehenswertes übriggeblieben; der Blick von dem erhöhten Punkt auf Stadt und See jedoch lohnt den Aufstieg zu der Ruine.

Santa Maria Maddalena

Lohnenswerter ist ein Besuch der Kirche Santa Maria Maddalena, die die Piazza Malvezzi im Westen begrenzt. Der Entwurf für die Kirche stammt von dem namhaften Architekten _Giulio Todeschini_ aus Brescia (1524–1603). Der Turm gehörte zu einer älteren Pieve. In strengem, dorischem Stil gestaltete Todeschini die Fassade der Kirche. Nur das vorgesetzte Barockportal verleiht ihr ein spielerisches Element. Im Innern dominieren die Stilformen der Brescianer Spätrenaissance. Der große, vornehme Raum spiegelt den Reichtum der Bürger von Desenzano wider, die sich ein derartiges Gotteshaus leisten konnten. Auch die Ausstattung mit Gemälden ist respektabel. Im Presbyterium gestaltete _Andrea Celesti_ in drei Gemälden Szenen aus dem Leben der hl. Magdalena (Bekehrung, Auferstehung des Lazarus und Verklärung). _Zenon Veronese_ hat neben dem Altarbild mit Maria im Kreis der Heiligen auch Darstellungen der Passion und Auferstehung Christi und Bilder von Propheten und Heiligen beigetragen.

Das bedeutendste Werk der Kirche befindet sich in der **Sakramentskapelle**.

›Das Letzte Abendmahl‹ von _Giovanni Battista Tiepolo_ (1696-1770). Auffallend an diesem Frühwerk des Künstlers ist die Darstellung des Tisches, an dem Christus und die Jünger speisen. Er ist nicht frontal zum Betrachter angeordnet, sondern verläuft vertikal ins Bild hinein. Christus sitzt vorn, an der Schmalseite der Tafel, die Jünger, die hintereinander aufgereiht sind, wenden sich ihm voll Aufmerksamkeit zu. Durch diese Perspektive ergibt sich eine ganz eigentümliche Tiefenwirkung, die die raffinierte Lichtgestaltung noch unterstreicht und dem Geschehen einen wirkungsvollen, bühnenhaften Charakter verleiht.

In der _Sakristei_ befindet sich eine ausdrucksvolle ›Beweinung Christi‹ von _Palma il Giovane_. Der mit reichen Intar-

Das ›Abendmahl‹ von Giovanni Battista Tiepolo ist das bedeutendste Kunstwerk in der Kirche Santa Maria Maddalena

sienarbeiten aus verschiedenenfarbigem Marmor gearbeitete _Hochaltar_ wurde zwischen 1702 und 1707 geschaffen.

Villa Romana

Als im Jahr 1921 der Schmied Emanuele Zamboni ein Grundstück etwas nördlich der alten Via Gallia kaufte, um es zu bebauen, stieß man bei den Aushubarbeiten auf römische Mauerreste und Mosaiken. Der gute Handwerker dürfte kaum Freu-

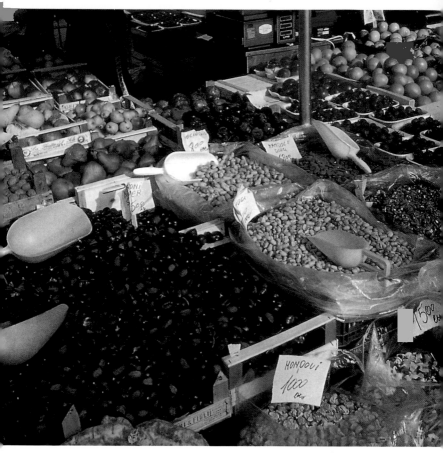

In Desenzano findet dienstags der größte Markt am See statt

de an seinem Grundbesitz gehabt haben, dessen sich nun die Archäologen mit Eifer bemächtigten und überraschende Entdeckungen zutage brachten.

Desenzano war schriftlichen Quellen zufolge zwischen dem 1. Jh. v. Chr. und dem 4. Jh. n. Chr. dicht mit Villen besiedelt, die mit Fresken, Statuen, Mosaiken und Brunnen reich ausgestattet waren. Die erhaltene Villa ist ein hervorragendes Zeugnis eines spätantiken Wohnsitzes in Norditalien. Bisher hat man vier Komplexe ausgegraben, die verschiedene Funktionen hatten. Man nimmt an, daß die Räume des Sektors A der Repräsentation dienten, während der Sektor B vorwiegend aus Wohnräumen besteht. C und D sind Teil der Thermenanlage. Die Reste einer Apsis im Sektor B lassen vermuten, daß hier eine frühchristliche Basilika stand. Die Villa wurde mehrfach umgebaut und erweitert, so daß bis heute

noch nicht alle Räume ihrer Bestimmung zugeordnet werden konnten.

Für den Besucher, der nicht archäologisch geschult ist, wird es schwer sein, sich anhand der wenigen Mauerreste eine Prunkvilla vorzustellen, die einst inmitten einer bukolischen Landschaft über dem See eingebettet lag. Am interessantesten und am leichtesten rekonstruierbar ist der **Sektor A** mit seinen Prunkräumen und Fußbodenmosaiken, die teilweise noch sehr gut erhalten sind.

Man betritt zunächst das kleine **Museum**, in dem die Funde – Fragmente von Statuen, Gefäße, Statuetten und Freskenreste – aufbewahrt werden. Als *Empfangsraum* der Villa diente ein achteckiger, zum See hin ausgerichteter Saal, dessen Fußboden noch geometrische Mosaiken aufweist. Es schließt sich das quadratische *Peristyl* mit breiten Mosaikstreifen an. Früher dürfte es von auf Säulen ruhenden Arkaden begrenzt gewesen sein. Von hier aus gelangt man in zwei große Prunksäle mit Apsiden. Sie dienten vermutlich als *Fest-* und *Bankettträume.* Hier sind auch die schönsten **Mosaiken** erhalten. Die Mosaiken des ersten Saals sind dem Fischfang gewidmet: Zierliche Amoretten fahren mit Ruderbooten auf dem See, stehen mit Angeln auf Felsen, um zu fischen. Im Wasser schwimmen die Fische zwischen in Zickzackform gestalteten Wellen.

Der besterhaltene Mosaikfußboden befindet sich in der sog. **Aula Trichora**, dem großen Speisesaal. Farblich und kompositorisch erweist er sich als ein beachtliches Meisterwerk. Achteckige, viereckige und kreuzartige Mosaikfelder sind mit Jagdszenen und Darstellungen von Weinlese und Obsternte verziert. Wieder sind es geflügelte Amoretten, die die Trauben pflücken und auf den Ästen von Obstbäumen sitzen. Vögel und Zweige, die aus Vasen quellen, beleben vielfarbig die Szenerie. Im einzigen noch erhaltenen Achteck sieht man ein von einem Tiger und einem Panther gezogenes Zweigespann, das wieder von einem Amoretto gelenkt wird. Erstaunlich ist die Vielfalt der Farben; man hat 30 oder mehr Farbvarianten gezählt.

Hinter dem großen Saal öffnete sich der **Garten**, einst prachtvoll gestaltet, der mit einem Monumentalbrunnen abschließt und mit Statuen geschmückt war, deren Fragmente im Museum aufbewahrt werden. Seitlich des Gartens und des Perystils waren kleinere Wohnräume angeordnet.

Zwei Psychai – geflügelte Mädchengestalten – lassen sich noch in einem Nebenraum erkennen, den man vom Peristyl aus erreicht. Die anmutigen Mädchen flechten Zweige zu Kränzen; daneben zwei weitere Amoretten, die im Begriff sind, Früchte zu sammeln. In der römischen Mythologie waren Amoretten die Gehilfen des Gottes Amor. Hier hat der Künstler sie zu spielerischer Landarbeit, wie sie am Gardasee üblich war, verpflichtet.

Im nördlichen Bereich der Villa kann man noch sehr schöne Mosaikfußböden in Schwarzweiß bewundern, die an ein Thermalbad erinnern. Dieser Bereich konnte jedoch noch nicht gänzlich rekonstruiert werden.

Öffnungszeiten: Di – Sa 9 – 18.30 Uhr, So 10 – 16 Uhr

Ein weiterer antiker Fund in Desenzano ist am Lungolago Cesare Battisti zu sehen: ein großer, mit Reliefs und Inschriften verzierter **Sarkophag**. Zweimal erscheint eine Frauenfigur, für die, wie die Inschrift besagt, das Grabmonument geschaffen worden ist. Sie nannte sich *Atilia Urbica.*

Antike Mosaiken in der Villa Romana

Praktische Hinweise

Tel.-Vorwahl Desenzano: 0 30
Information: IAT-Ufficio Informazioni,
Via Porto Vecchio, Tel. 9 14 15 10,
Fax 9 14 42 09

Hotels und Restaurants

**** Park Hotel, Lungolago Cesare
Battisti, 17, Tel 9 14 34 94, Fax 9 14 22 80.
Traditionshotel, dessen geschmackvolle
Einrichtung höchsten Ansprüchen
genügt; wunderschöne Lage am Ufer
des Sees.
*** Hotel Piroscafo, Via Porto Vecchio,
11, Tel. 9 14 11 28, Fax 9 91 25 86.
Angenehmes Hotel in einem alten
Palazzo mitten in der Altstadt.
Trattoria Bicocca, Vic. Molini, 6,
Tel. 9 14 36 58. ›Cucina Casalinga‹,
d. h. ›Speisen wie zu Hause‹.

26 San Martino della Battaglia

Erinnerungen an eine blutige Schlacht.

Von Rivoltella zweigt nach Süden die
Straße Richtung San Martino della Battaglia ab. Schon von fern grüßt der 64 m
hohe Turm, Denkmal für die verlustrei-
che Schlacht vom Juni 1859 und den Sieg
Vittorio Emanueles II. Damals gelang es
den franko-piemontesischen Truppen,
die auf einer Front von 12 km die Hügelkette zwischen *San Martino* und *Solferino* besetzt hielten, während einer 14
Stunden tobenden Schlacht, das österreichische Heer zu schlagen. Bilanz des
Tages: 25 000 Tote. Für die Italiener war
dies der entscheidende Durchbruch im
Unabhängigkeitskrieg gegen die Habsburger. Im **Turm** von San Martino, dessen Bau 13 Jahre erforderte (1880–93),
wurden die Geschehnisse dieser und anderer Schlachten des *Risorgimento* auf
großen Fresken festgehalten. Waffen,
Fahnen, Gedenksteine sind hier zur Erinnerung präsentiert; in der Mitte prangt
eine mächtige Statue des Siegers Vittorio
Emanuele II. Beobachter des verlustrei-
chen Kampfes war der damals 31jährige
Henry Dunant, den die Leiden der Ver-
wundeten und Sterbenden dazu veranlaß-
ten, das Internationale Rote Kreuz zu
gründen. Im nahen **Solferino** befindet
sich in der ehemaligen Burg ein *Museum*,
das ebenfalls an diese Schlacht erinnert.
Im Gebeinhaus der Kirche sind Überreste
von 7000 österreichischen, französischen
und italienischen Soldaten aufbewahrt.
Öffnungszeiten: Okt.–März 9–12 und
14–17.30 Uhr, April–Sept. 9–12 und
14–17.30 Uhr

27 Lonato

*Lombardisches Städtchen mit Festung und
Dom.*

Auf dem Weg von Desenzano in Richtung Brescia (von Padenghe gibt es eine
kleinere, reizvollere Straße) liegt das
Städtchen Lonato. Es lohnt sich, diesem
Ort einen Besuch abzustatten.

Geschichte Schon von fern erkennt
man die große *Festung* auf einem Hügel
über der Stadt, einst eine der bedeutendsten Wehranlagen des Landes, die an
strategisch wichtiger Stelle im Grenzge-
biet zwischen Verona und Brescia errichtet worden war. Scaliger und Visconti,
Venezianer und Mailänder schlugen sich
abwechselnd um Festung und Stadt.
Durch den Sieg der *Liga von Cambrai*
war Lonato 1509 an Mantua gekommen.
1514 fand der berühmte Besuch der *Isa-
bella d'Este Gonzaga* statt, die damals
Mittelpunkt der höfischen Gesellschaft
Italiens war. Als sie zur Burg hinaufstieg,
von wo sich der Blick weit über die Landschaft öffnet, drückte sie ihre Begeiste-
rung in einem Brief an den Gemahl *Francesco Gonzaga* aus: »Niemals sah ich
eine schönere Gegend. ... Ich sah den
schönen See, die herrlichen Weinberge
und Ländereien, die alle wie Gärten aussehen ...« Auch 400 Jahre später muß
man in das Lob der Gräfin mit einstim-
men. Den Mantuanern ging Lonato schon
1516 wieder verloren und fiel an Venedig. Der *geflügelte Löwe* auf der Piazza
Centrale konnte sich bis zum Niedergang
der Venezianischen Republik behaupten.

Besichtigung Steigt man zur Ruine der
Feste hinauf, stößt man oberhalb des die
Stadt überragenden Stadtturms *Torre
Maestra* (1555) auf den mittelalterlichen
Palazzo del Podestà. Das schöne, reich
ausgestattete Gebäude in gotisch-lom-
bardischem Stil wurde im letzten Jahrhundert von dem Politiker, Historiker
und Kunstsammler *Ugo da Como* erwor-
ben. Er restaurierte das Anwesen und be-
reicherte die Räume mit einer wertvollen
Sammlung von Möbeln, Gemälden, Keramiken, Skulpturen und Büchern. Sein

In Lonato kündigt sich schon die Architektur der Lombardei an

Vermögen hinterließ er einer Stiftung zur Erhaltung des mittelalterlichen Hauses. Die *Bibliothek*, die von Studenten genutzt werden kann, umfaßt über 30 000 Bände, darunter ca. 500 Inkunabeln und Manuskripte. Im sog. *Roten Saal* befindet sich die Gemäldesammlung mit Werken des 16., 17. und 18. Jhs., darunter eine ›Heilige Familie‹ von *Andrea Celesti*.

Öffnungszeiten: Fondazione Ugo da Como: Sa, So 10 – 12, 14.30 – 19 Uhr; im Winter bis 18 Uhr.

Am Fuße des Turmes Maestra breitet sich ein kleiner Marktplatz aus, von dem ein Durchgang zu der größeren **Piazza Centrale** führt. Sie wird im Westen vom **Palazzo Municipale** begrenzt. Im Saal des Rathauses hängt ein Monumentalgemälde von *Andrea Celesti*, ›Die Pest‹, das der Maler 1693 in Erinnerung an das Ende der Pest von 1630 malte. Das Bild wirkt ziemlich schwer und düster. Das Pathos der Darstellung kulminiert in einer bewegten Straßenszene.

Gegenüber dem Rathaus gewahrt man inmitten der eng stehenden Altstadthäuser die hochaufragende Fassade des **Domes**. Die gewaltige barocke Kirche, die Johannes dem Täufer geweiht ist, beeindruckt vor allem durch die 60 m hohe Kuppel. Diese erscheint wie eine Vorwegnahme des Domes von Brescia. Die

Kirche entstand zwischen 1738 und 1780 als eines der Hauptwerke des venezianischen Barock.

Mit seinem historischen Stadtbild erscheint Lonato als eine typisch lombardische Ortschaft, die sich auffallend von den venezianisch geprägten Orten am Gardasee abhebt.

Ausflüge

Santa Maria del Corlo (1500) liegt am nördlichen Stadtrand. Der Innenraum der Kirche ist mit reichem Freskenschmuck und Scheinarchitekturen im Stil der Renaissance ausgestattet. Auf dem Altar steht ein Gemälde von Moretto.

Die **Burg von Drùgolo** (14. Jh.) thront auf einem Hügel unweit derselben Straße Richtung Cavalgese. Gut erhalten sind neben den Mauern vor allem die Zugbrücke und das System der Laubengänge.

Die **Abtei von Maguzzano** ist in Richtung Padenghe gelegen; der mächtige Bau bietet auch einen schönen Ausblick auf den Gardasee. Der Innenraum der Kirche ist in phantasievoller Renaissancemalerei gestaltet. Die Tafelbilder mit biblischen Szenen warten mit bewegten Architekturkulissen auf. Neben der Kirche lockt ein stimmungsvoller Renaissancekreuzgang mit eleganten Säulen, die weite Gewölbe tragen, eine Oase der Stille und Kontemplation!

Brescia – Altstadt zwischen Antike und Mittelalter

Brescia ist nicht so berühmt wie Verona und Mailand. Es ist jedoch eine interessante, mit reichen Kunstschätzen ausgestattete Stadt, die einen Besuch wert ist. Vom Westufer des Gardasees sind es nur 30 km auf der Autobahn oder der Staatsstraße N 11.

28 Brescia

Plan Seite 75

Römer, Langobarden, Venezianer prägten die Geschichte der Stadt, die heute ein bedeutendes Industriezentrum ist.

Reizvoll ist die Lage der Stadt, die ein Kranz von Hügeln – die *Ronchi* – umgibt, auf dem Villen und kleine Dörfer angesiedelt sind. Die Altstadt gruppiert sich um die *Burg* auf dem Hügel Cidneo, von dem man einen schönen Blick über das Dächermeer mit seinen Türmen und Kuppeln hat. Im Süden dehnt sich die Stadt mit modernen Wohnsiedlungen und Industrieanlagen weit in die Po-Ebene aus.

Geschichte   Die Sage berichtet, daß der Ligurer-König Cycnus, nach dem angeblich der Cidneo-Hügel benannt wurde, Gründer von Brescia gewesen sei. Belegt ist, daß **keltische Cenomanen** eine Siedlung gründeten. Im 4. Jh. v. Chr. wird Brescia zu ihrer Hauptstadt. Die keltische Stammsilbe ›brik‹ ist noch im Namen der Stadt enthalten. Sie bedeutete soviel wie Berg oder Hügel. 225 v. Chr. verbinden sich die Cenomanen mit den **Römern**, die den Ort ›Brixia‹ nennen. Im Jahr 89 v. Chr. erhält er römische Rechte, 29 v. Chr. ernennt Kaiser Augustus ihn zur ›colonia civica augusta‹. Während dieser Zeit entstehen bedeutende Bauwerke: Straßen, Paläste, Tempel und Theater. Im 2. Jh. beginnt sich die christliche Religion auszubreiten. Nach dem Einfall und den Plünderungen der Barbaren während des ›dunklen‹ Zeitalters (5. Jh.) erholt sich Brescia erst wieder unter der Herrschaft der **Langobarden** im 6. Jh. und wird Herzogsitz (›curia ducis‹). Im 8. Jh. gründet Ansa, Gemahlin des Königs Desiderius, das Kloster San Salvatore, welches sich zu einem der bedeutendsten des Mittelalters entwickelt. Die fränkisch-langobardische Herrschaft währt bis zur Zeit Karls d. Gr. (774 – 888). Anfang des 12. Jh. wird Brescia **freier Stadtstaat**. Im Kampf gegen Friedrich I. und Friedrich II. schließt sich Brescia dem Lombardischen Bund an.

1258 besetzt Ezzelino da Romano die Stadt. Es folgen Jahre der Unruhen, Belagerungen und wechselnder Herrscher, wie der Scaliger, Visconti und anderer. Erst die **Herrschaft Venedigs** bringt Brescia Ordnung, Frieden und wirtschaftliche sowie kulturelle Blüte. Diese Zeit des Aufschwungs wird nur durch die französische Besetzung und Plünderung von 1509 – 1516 unterbrochen. 1797 wird die Republik Brescia ausgerufen und der Cisalpinischen Republik einverleibt. Bis 1814, dem Beginn der österreichischen Herrschaft, gehört die Stadt zum **Königreich Italien**. In dieser Zeit entsteht der Großteil der klassizistischen Bauten. Die österreichische Regierungszeit ist von Unterdrückung, von Verschwörungen und Aufständen geprägt. 1859 befreien französisch-piemontesische Truppen die Stadt. Es folgt der Anschluß an das neuerstandene Königreich Italien. Im 2. Weltkrieg erleidet die bedeutende Industriestadt schwere Zerstörungen.

Besichtigung   Dem Fremden erschließt sich die Industriemetropole zunächst nur schwer. Brescia ist nicht vom Tourismus geprägt; die Menschen sprechen gewöhnlich nur italienisch, was die Verständigung und die Orientierung erschwert. In der Altstadt herrscht der rege Verkehr und die Hektik des Geschäftslebens. Die Parkplatzsuche ist so schwierig wie in jeder italienischen Stadt, und es gibt nur wenige Oasen der Ruhe. Bei einem Gang über die Piazza del Mercato mit dem täglich stattfindenden lebhaften Markt oder bei einem Einkaufsbummel durch die zahlreichen Modegeschäfte wird die Eingewöhnung aber bald zum Vergnügen. Brescia ist aber nicht nur Geschäftsstadt, sondern auch ein überregio-

Brescia

① Rotunde/Santa Maria Maggiore
② Neuer Dom
③ Biblioteca Queriniana
④ Broletto
⑤ Loggia
⑥ Monti Pietà
⑦ San Faustino in Risposo
⑧ Tempietto Capitolino/ Museo Romano
⑨ Teatro Romano
⑩ San Salvatore/ Santa Giulia
⑪ Santa Maria in Solario
⑫ Pinacoteca Tosio-Martinengo
⑬ Kloster Santa Chiara
⑭ Santi Faustino e Giovità
⑮ Madonna del Carmine
⑯ Madonna delle Grazie
⑰ San Giovanni
⑱ San Francesco
⑲ Santa Maria dei Miracoli
⑳ Sant' Agata
㉑ Cidneo-Hügel/Burg der Visconti

nal bedeutendes Kunstzentrum. Seine zahlreichen Kirchen bergen Kunstwerke von Wert und Rang. Es ist jedoch nicht immer garantiert, daß man zu den üblichen Öffnungszeiten Zugang erhält, denn vielerorts wird restauriert. Ein guter Stadtplan ist für die Orientierung in Brescia unbedingt notwendig. Zwei historische Plätze bilden den Mittelpunkt des alten Brescia: der Domplatz und die Piazza della Loggia.

Piazza Duomo

Bis ins 15. Jh. war der Domplatz Zentrum des kirchlichen und politischen Lebens der Stadt. Heute wird er von der mächtigen Fassade des Neuen Doms beherrscht. Links von diesem repräsentiert der alte Stadtpalast – der Broletto – die weltliche Macht mit seinem hohen, zinnenbewehrten Turm. Rechts duckt sich das Dach der **Rotunde**, des **Alten Domes Santa Maria Maggiore** ①, im Schatten der riesigen Kuppel des Neuen Domes, der 1825 eingeweiht wurde.

Die Rotunde, von außen ein bescheidenes Bauwerk, ist das älteste und interessanteste des Platzes. Ungewöhnlich für das Mittelalter in Italien ist allein schon die Form eines Rundbaues. Die Kirche

TOP TIP

75

entstand vermutlich im 11. Jh. auf den Resten einer Basilika des 6. Jh. Man betritt die Kirche durch ein frühbarockes Portal, dessen Einbau zum Einsturz des Kirchenturmes führte. Beeindruckend ist die strenge, schmucklose *Architektur* der Kirche, die an den Dom von Aachen erinnert und dem Raum eine besondere Würde verleiht. Das Gewölbe ruht auf acht Arkaden, die von massiven *Pfeilern* getragen werden. Sie trennen den Mittelraum von dem Umgang. Die klare Geometrie wird nur durch das höher gelegene Presbyterium aus dem 15. Jh. unterbrochen. Anhand von schwarzen Grundrißlinien auf dem Fußboden der Rotunde kann man die Ausmaße der früheren Kirche erkennen.

Die fünfschiffige **Krypta** mit drei Apsiden birgt die Gebeine des heiligen Brescianer Bischofs Filastrio (4. Jh.). Beachtenswert sind hier die *Kapitelle* der 16 Säulen, die phantasievolle Steinmetzarbeiten des 6. – 9. Jh. aufweisen. Querhaus und Chor, die später an die Rotunde angebaut wurden, tragen einen stilistisch vielfältigen Freskenschmuck.

In der **Sakramentskapelle** hängen Bilder von *Romanino* (ca. 1484 – ca. 1559) und *Moretto* (ca. 1498 – 1554), den beiden rivalisierenden Meistern der Brescianer Renaissancemalerei. Romanino hat die beiden Gemälde der ›Mannalese‹ geschaffen, von Moretto stammen der ›Schlafende Elias‹ und das ›Ostermahl‹. Den Chor schmückt hinter dem Hauptaltar ein frühes Werk Morettos, die ›Himmelfahrt Mariens‹ von 1526. Immer wieder wird man in Brescia Gelegenheit haben, die Arbeiten dieser beiden konkurrierenden Künstler zu vergleichen [siehe S. 81 f.]. Bemerkenswert im Chor ist auch die wertvolle Orgel des Giangiacomo Antegnati von 1530.

Hervorragend gearbeitete Monumente sind die *Grabmäler* der drei Bischöfe: am Eingang gleich die aus rotem Veroneser Marmor gestaltete *Tomba des Berardo Maggi* (1308). Das dazugehörige Relief zeigt eine politische Tat, durch die der Bischof in die Geschichte einging. Man sieht die sich befehdenden Guelfen und Ghibellinen, die dem Berardo versprechen, fortan in Frieden miteinander zu leben. Das Versprechen wurde allerdings nicht lange eingehalten. Die beiden anderen Grabmäler bergen die Leichname der Bischöfe Balduino Lambertini (1349 gest.) – ein hervorragendes Werk der Meister aus Campione – und Domenico

de Dominici (gest. 1478), ein aufwendiges Renaissancegrabmal.

Früher stand neben dem alten Dom, der sog. Winterkathedrale, die Sommerkathedrale San Pietro. Im 16. Jh. war ein Umbau geplant, doch die Arbeiten führten schließlich zum Abriß der Kirche. Der Architekt des 1604 begonnenen Neubaus war Giovanni Battista Lantana. 200 Jahre lang, bis ins 19. Jh., zog sich der Bau des aus weißem Botticino-Marmor gestalteten **Neuen Domes** ② hin. Erst 1825 wurde die mächtige Kuppel – die drittgrößte Italiens – beendet. Die hochaufragende Fassade wird von Säulen und Pilastern getragen. Den giebelförmigen Aufbau krönen große Heiligenfiguren.

Das **Innere**, mit kreuzförmigem Grundriß, wirkt kühl und feierlich mit den vielfältigen, aus Marmor gestalteten Dekorationselementen. Einige wenige Kunstwerke ziehen die Aufmerksamkeit auf sich. Herausragend sind die *Bilder* ›Mariä Heimsuchung, Vermählung und die Geburt‹ im linken Seitenschiff von *Romanino* (um 1540). Besonders gelungen sind die Landschaften im Hintergrund. Die Tafeln schmückten ehemals die Orgelflügel im Alten Dom. Beachtenswert ist auch das expressive *Kruzifix* im ersten Seitenaltar rechts (15. Jh.) sowie das *Grabmal* des heiligen Bischofs Apollonius über dem dritten Seitenaltar rechts, das 1510 von Maffeo Oliviero geschaffen wurde.

Über dem Portal sieht man eine Büste des Kardinals Antonio Maria Querini (1749), dem Begründer der berühmten Brescianer **Biblioteca Queriniana** ③. Sie befindet sich in der Via Mazzini 1, gleich gegenüber der Apsis des Domes. Die Queriniana birgt eine reiche Sammlung wertvoller Handschriften, Inkunabeln und Codices, die allerdings nicht öffentlich zugänglich ist. Der Besuch der Bibliothek lohnt trotzdem, vor allem wegen des Treppenhauses, das mit Szenen aus dem Leben des Kardinals und einer Allegorie der Literatur bemalt ist.

Das massive Gebäude mit dem hochaufragenden Turm links des Neuen Domes, der sog. **Broletto** ④, repräsentiert die weltliche Macht des mittelalterlichen Brescia. Die Baugeschichte dieses altehrwürdigen Baues ist lang und wechselhaft. Stilelemente verschiedener Epochen fanden hier ihren Niederschlag. Bereits im

Zwei gänzlich verschiedene Baustile: der Alte und der Neue Dom von Brescia

12. Jh. wurde der Bau eines Stadtpalastes beschlossen, nachdem der Stadtrat bisher unter freiem Himmel auf dem ›mercatum broli‹ getagt hatte. 1226 war der Südwestflügel mit der ›Loggia delle Grida‹ vollendet, von der aus zunächst der Podestà und später die fremden Herrscher ihre Beschlüsse verkündeten. Vom *Turm* ›Torre del Pégol‹ (11. Jh.) erklingt noch heute die Glocke, wenn der Stadtrat zusammentritt.

Die *Loggia* ziert ein Bild, das die Justitia zwischen Gefangenen und Richtern darstellt. 1232 war der Ostflügel fertiggestellt, dem später ein Barockportal angefügt wurde. Um 1300 ließ der Bischof Berardo Maggi, der zugleich weltlicher Herrscher war, den Westflügel errichten. Die Mailänder Regierung (1339–1420) nutzte den Broletto als

militärische Festung. Venedig nahm dann neuerliche Veränderungen vor. Die Venezianer ließen z. B. in dem hohen Saal des Südwestflügels eine gewölbte Decke einziehen. Noch heute kann man ganz oben unter dem Dach mittelalterliche Fresken sehen, während die Räume darunter mit aufwendigem Freskenschmuck der Renaissance gestaltet sind. (Heute sind hier Verwaltungsräume. Der alte Rittersaal kann besichtigt werden, wenn man um den Schlüssel bittet.) Im *Innenhof* verdienen die schönen drei- bzw. viergeteilten Fenster mit Skulpturenschmuck aus der Werkstatt des Meisters Benedetto Antelami (13. Jh.) Aufmerksamkeit. Der Broletto, der 1944 stark beschädigt, jedoch wieder restauriert wurde, gehört zu den markantesten und interessantesten Stadtpalästen Oberitaliens.

Zwei Brunnen aus dem 18. Jh. schmükken den weiten Platz, von dem aus ein Durchgang zu der Via X Giornate führt. Unter malerischen **Laubengängen** verstecken sich hier elegante und verführerische Geschäfte. Die Straße, die nach Süden auf den Corso Zanardelli mündet, ist eine beliebte Einkaufsmeile der Brescianer.

Piazza della Loggia

Der nördliche Teil der Laubengänge endet an der Piazza della Loggia, Brescias noblem Stadtplatz. Hier setzt die aristokratische Renaissancefassade des neuen Stadtpalastes aus dem 15./16. Jh. – die **Loggia** ⑤ – einen besonderen Akzent. Der Platz wurde von den Venezianern als neues urbanes Zentrum angelegt und hat seinen Rang bis heute bewahrt. Die Loggia mit der großen, offenen *Säulenhalle* entstand in zwei Bauabschnitten: 1492 – 1508 wurde das Untergeschoß nach Plänen des Vicenzer Architekten Tommaso Formentone gebaut. Zwei kleine Brunnen und das Portal der Säulenhalle stammen von dem Bildhauer Stefano Lamberti (1503).

Der obere Teil des Gebäudes wurde 1554 in Angriff genommen und erst 1562 fertiggestellt. Er entstand nach Plänen des berühmten venezianischen Architekten *Jacopo Sansovino* (1486 – 1570). Doch auch andere namhafte Baumeister der Zeit wurden vor allem wegen der schwierigen *Dachkonstruktion* zu Rate gezogen; so z. B. Andrea Palladio, Galeazzo Alessi und Giacomo Antonio Rusconi, die auch auf die Gestaltung des großen Saales Einfluß nahmen. Tizian schuf eine Anzahl von Gemälden, die aber dem Brand von 1575 zum Opfer fielen. Auch die Bleiüberdachung schmolz damals in den Flammen. Das heutige Kuppeldach – eine Rekonstruktion des Entwurfs aus dem 15. Jh. – wurde erst 1914 fertiggestellt, nachdem sich frühere Lösungen nicht als durchführbar erwiesen hatten.

Das große *Treppenhaus*, das mit zeitgenössischen Fresken von 1902 im Neorenaissance-Stil ausgestattet ist, erscheint außerordentlich prachtvoll und repräsentativ, ebenso wie die reichdekorierten Säle und Zimmer des heutigen Rathauses. Auf Anfrage ist es möglich, die Räume zu besichtigen.

Gegenüber der Loggia erhebt sich aus den elegant gegliederten Arkadenhäusern der **Uhrturm** im venezianischen Stil. Er wurde 1540-50 erbaut und mit einer mechanischen Uhr ausgestattet, die Paolo Germari aus Rezzato 1546 entwickelt hat. Ihr kompliziertes Zifferblatt ist ein Werk Gian Giacomo Lambertis aus dem Jahr 1574. Den Turm krönt eine Glocke, die von zwei Männerfiguren zur vollen Stunde geschlagen wird; er ist ein Abbild des Glockenturms auf dem Markusplatz von Venedig.

Die sich an der linken Seite anschließenden Gebäude der **Monti Pietà** ⑥ bilden einen weiteren, von der Renaissance geprägten Akzent des Platzes. Es handelt sich um eine Sequenz von drei verschiedenen Gebäudeblöcken, die sich jedoch zu einem harmonischen Ganzen vereinen. Zwei langgestreckte Häuserflügel rahmen eine zierliche, in venezianischem Stil erbaute *Loggia* mit sieben Bögen. Bevor dieser Komplex gebaut wurde, begrenzte lediglich eine Fassadenmauer den Platz, hinter der sich kleine Handwerkerläden eingerichtet hatten. Der Name der Gebäude bezieht sich auf die Einrichtung eines *Pfandhauses*, welches 1490 in dem älteren Teil (Monte Pietà Vecchia) eröffnet worden war. Der jüngere, östliche Flügel, von Pietro Maria Bagnadore 1597 – 1600 angefügt, wurde dann Monte Pietà Nuovo genannt. Schon während der Bauzeit wurden in dem älteren Gebäude römische Inschriftensteine eingelassen, die erste Sammlung antiker Fundstücke in Italien!

Zeugnisse der Antike

Das Zentrum der römischen Stadt Brixia befand sich einige hundert Meter östlich der Piazza della Loggia. Durch das *Brusciata*-Tor, vorbei an der kleinen Kirche **S. Faustino in Risposo** ⑦, gelangt man in die *Via dei Musei*. Sie war der östliche Abschluß des römischen *decumanus*, von dem man noch ein gepflastertes Stück erkennt. Die Straße lag unter dem heutigen Niveau.

Darüber erhebt sich als letztes Zeugnis einer glänzenden, untergegangenen Epoche die von fünf korinthischen Säulen getragene Vorhalle des einstigen **Tempietto Capitolino** ⑧, der 73 n. Chr. von Vespasian erbaut worden war. Im Mittelalter hatte man den Tempel abgerissen, um Neubauten Platz zu machen. Seit 1823 begann man mit Ausgrabungen und der Einrichtung eines Museums. Hinter den rekonstruierten Säulen liegen die drei ›cellae‹, die Kulträume des Heiligtums, in dem die Gottheiten Jupiter, Juno

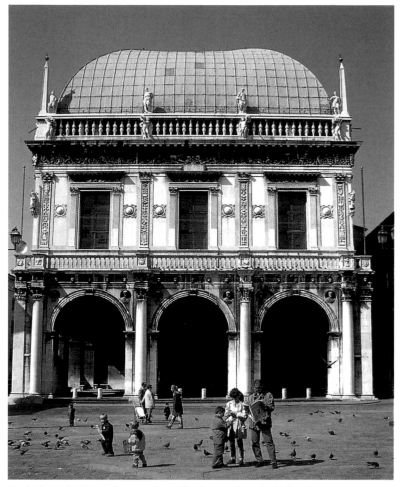

Von bedeutenden Architekten gestaltet – die elegante Fassade der Loggia

und Minerva verehrt wurden. Unterhalb der Vorhalle erkennt man noch die Mauerstrukturen eines früheren Tempels aus republikanischer Zeit (Anfang des 1. Jh. v. Chr.).

In den ›cellae‹ des Tempels fand das **Museo Romano** Raum, das eine reiche Sammlung römischer und vorrömischer Funde enthält: Keramiken, Gläser, Terrakotten, Sarkophage, Mosaiken und eine große Anzahl von Schrifttafeln, darunter die interessante *Tafel von Voltino* (2.–1. Jh. v. Chr.) mit etruskischen Schriftzeichen [s. S. 51 f.].

Besonders kostbar sind die sechs *Bronzebüsten* aus der Kaiserzeit (2.–3. Jh.). Kunstwerke aus Bronze sind relativ selten, da sie häufig eingeschmolzen und anderen Verwendungszwecken zugeführt

wurden. Sie belegen, daß im römischen Brixia eine Reihe außergewöhnlich begabter Bronzegießer tätig gewesen ist, die zugleich ausgezeichnete Bildhauer waren. Auch die silbernen *falere di Manerbio* (ca. 250 v. Chr.) – Zaumzeugreste aus keltischer Zeit aus der Umgebung von Brixia – sind eine Besonderheit, da Funde aus dieser frühen Epoche äußerst rar sind. Glanzstück des Museums, zugleich Symbolfigur des alten Brixia, ist die ›Vittoria‹, eine geflügelte Frauengestalt aus Bronze. Die elegante, in ein faltenreiches Gewand gehüllte Skulptur war wohl von dem Künstler zunächst als Venus konzipiert worden. Später gab man ihr durch Hinzufügen der Flügel den Rang einer Siegesgöttin. Dieser Rollenwechsel zum Siegerdenkmal geschah vermutlich anläßlich Vespasians Sieg über Judäa (70 n. Chr.).

Öffnungszeiten: Okt. – Mai Di – Fr 9 – 12.30 und 15 – 17 Uhr, Sa, So 9 – 12.30 und 15 – 18 Uhr, Juni – Sept. Di – Fr 10 – 12.30 und 15 – 19 Uhr

Östlich des Tempelbezirks schließt sich das **Teatro Romano** ⑨ (1. Jh. n. Chr.) an, das wegen der späteren Überbauung nur teilweise ausgegraben werden konnte. Bis 1173 fanden auf seiner riesigen Tribüne Volksversammlungen statt. Südlich, neben der Kirche San Zeno, sind einige wenige Reste des römischen *Forums* gefunden worden, das einmal der zentrale Marktplatz der Stadt war.

San Salvatore / Santa Giulia ⑩ Santa Maria in Solario ⑪

Vom Kapitol der Via dei Musei weiter folgend stößt man auf den Klosterkomplex von **San Salvatore**, der kunsthistorisch zu den interessantesten Gebäuden der Stadt gehört. Im Mittelalter nahmen die Klöster einen außergewöhnlichen Rang im Leben der Stadt ein. Allein ihre Anzahl weist darauf hin: Auf 10 000 bis 15 000 Einwohner kamen 100 Klöster. San Salvatore war das bedeutendste Kloster in Brescia und eines der einflußreichsten in Oberitalien. Gegründet wurde es 753 von Ansa, der Gemahlin des Langobardenkönigs Desiderius. Das Königspaar stattete das Benediktinerinnen-Kloster mit reichen Stiftungen und Privilegien aus. Bis zu seiner Auflösung 1797 blieb es ein klerikales Zentrum, dessen Einfluß bis in die Emilia, Toskana, nach Spoleto und Benevent reichte. Nach der Säkularisierung diente der Komplex 100 Jahre lang als Kaserne und erlitt in dieser Zeit große Schäden. Seit Jahrzehnten ist man nun dabei, die Gebäude zu restaurieren, um ihren archäologischen und kunsthistorischen Rang wiederherzustellen.

Drei Kirchen und drei Kreuzgänge bilden den Kern der Klosteranlage. Die älteste und bedeutendste Basilika ist *San Salvatore*, ein Bau der Karolingerzeit, der auf den Grundmauern der alten langobardischen Kirche im 9. Jh. errichtet wurde. Ihr wurden die drei Kreuzgänge und die romanische Doppelkirche Santa Maria in Solario hinzugefügt. Im 15. Jh. fanden erneut Umbauten statt.

Der Westteil der Basilika San Salvatore wurde zu einem Nonnenchor umgestaltet, an den man um 1500 die Kirche Santa Giulia anbaute. Alle drei Kirchen waren mit einem einzigartigen *Freskenschmuck* ausgestattet, der in Santa Giulia und Santa Maria in Solario noch vollständig erhalten ist. Als Maler wirkten vor allem Floriano Ferramola (1480 – 1528) und Paolo da Caylina d. J. (1485 – 1554). Hervorragend ist die Ausmalung des *Nonnenchores* von *Santa Giulia*, bemerkenswert die gelungenen Scheinarchitekturen und perspektivischen Malereien, in die sich die Bildszenen mit dem beherrschenden Fresko der *Kreuzigungsgruppe* einfügen. Eine Jahreszahl weist darauf hin, daß die Arbeiten für den Chor 1559 beendet wurden. Übergreifendes Thema der Bildfolgen ist die Erlösung der Menschheit.

Das *Hauptschiff* der Kirche Santa Giulia wurde im 17. Jh. mit Fresken ausgestattet. Die Altäre, Gemälde und anderen Einrichtungsgegenstände gingen nach Auflösung des Kloster verloren.

Die romanische Kirche **Santa Maria in Solario** aus dem 12. Jh., deren achteckiger Baukörper von einer Zwerggalerie gegliedert wird (gut zu sehen von der Via dei Musei), wurde im oberen Geschoß 1518 – 20 von Floriano Ferramola mit farbenfrohen Bildern freskiert, die noch außerordentlich gut erhalten sind.

In **San Salvatore** ist der Freskenschmuck weitgehend verlorengegangen. In der Turmkapelle sieht man noch – leider ziemlich verblichene – Fresken von Romanino. Eindrucksvoll ist hingegen die *Architektur* dieser ehrwürdigen Kirche. Wie in einem Geschichtswerk lassen sich die Zeitläufe ablesen. Ausschachtungen im Kirchenboden ermöglichen die Betrachtung der antiken Mosaikböden des römischen Palastes, der einst an dieser Stelle stand. Aus langobardischer Zeit stammt ein Teil der *Krypta*, die im 12. Jh. erweitert wurde. Grazile Säulen mit dekorativen Kapitellen aus der Schule der Antelami unterteilen den hallenartigen Raum. In der *Oberkirche* werden die Rundbögen von teilweise antiken Säulen getragen. Besondere Aufmerksamkeit verdienen die kunstvoll gearbeiteten Kapitelle.

In der Kirche **Santa Giulia** wurde 1882 ein der christlichen Kunst gewidmetes **Museo Civico** eingerichtet. Zu den wertvollsten Stücken gehören die Lypsanothek und das Desideriuskreuz. Bei der *Lypsanothek* handelt es sich um einen außerordentlich kostbaren Reliquienschrein

Der Palazzo Martinengo Cesareso beherbergt heute die Katholische Universität

aus Elfenbein des 4. Jh. mit kunstvollen Porträtmedaillons und Reliefs, die in harmonischer Anordnung die Flächen der Schatulle bedecken. Das *Desideriuskreuz* aus dem 7. Jh. zieren über 200 Edelsteine, Kameen und farbige Glaseinsätze sowie eine interessante Porträtmalerei auf Glas, die eine Dame in Begleitung zweier Jünglinge zeigt. Man vermutete lange, daß es sich um die römische Kaiserin Galla Placidia und ihre Söhne handelt. Im Schnittpunkt der vier Balken des Kreuzes sieht man den segnenden Christus inmitten der vier Evangelisten.

Von großem Wert ist auch der *Dittico Queriniano*, zwei elfenbeinerne Täfelchen, die vermutlich Teile eines Dyptichons oder einer Schatulle waren. Zwei Liebespaare, die sich zärtlich aneinanderschmiegen, werden von gewundenen Säulen umrahmt. Man nimmt an, daß Hippolyt und Phädra dargestellt sind.

Seit mehreren Jahren wird dieser einzigartige Klosterkomplex restauriert und in ein städtisches Museum umgewandelt. Die reichhaltige Sammlung wertvoller Kunstwerke sowie die Kirchen repräsentieren auf anschauliche Weise die verschiedenen Epochen der Geschichte Brescias. Der erste Teil des Museums wurde 1996 eröffnet. Die Kirchen, zwei Kreuzgänge und die bedeutendsten Exponate sind so dem Publikum zugänglich.

Öffnungszeiten: Di – Fr 9 – 12.30 und 15 – 17 Uhr, Sa, So 9 – 12.30 und 15 – 18 Uhr

Pinacoteca Tosio - Martinengo ⑫

Der an der *Piazza Moretto* gelegene ehemalige *Palast* der Familie Martinengo da Barco aus dem 16./17. Jh. birgt eine der wertvollsten Gemäldesammlungen Oberitaliens. Die Pinakothek geht auf Schenkungen der Grafen Leopardo Martinengo da Barca und Paolo Tosio Anfang des Jahrhunderts zurück. Viele Bilder aus Brescianer Kirchen sowie private Stiftungen und Ankäufe ergänzten die Sammlung der Mäzene. Werke von der Spätantike bis ins 19. Jh. sind hier ausgestellt. Bedeutend sind vor allem die hervorragenden Beispiele der Brescianer Renaissancekunst. Besondere Aufmerksamkeit gebührt den Werken *Romaninos* und *Morettos*, vor allem ihrer Porträtmalerei. Besser noch als in den Kirchen lassen sich hier die Arbeiten der beiden konkurrierenden Maler vergleichen.

Öffnungszeiten: Okt. – Mai Di – Fr 9 – 12.30 und 15 – 17 Uhr, Sa, So 9 – 12.30 und 15 – 18 Uhr, Juni – Sept. Di – Fr 10 – 12.30 und 15 – 18 Uhr, Sa, So 10 – 12.30 und 15 – 19 Uhr

Kirchen

Brescia besitzt eine große Anzahl wertvoller Kirchen, in denen der Interessierte qualitätvolle Kunstwerke zu entdecken vermag. (Allerdings kann es häufig passieren, daß die Portale des gesuchten Gotteshauses verschlossen sind. Die offiziellen Öffnungszeiten werden manchmal recht willkürlich gehandhabt.) Eini ge sehenswerte Kirchenbauten findet man in dem sog. **Volksviertel**, nordwestlich der Piazza della Loggia. Hier öffnet sich ein Gewirr von Gassen und schmalen Straßen, das in die Welt von Handwerksbetrieben, von kleinen Läden und Märkten führt. Gleich hinter der Loggia auf der *Piazza Rovetta* werden Schuhe, Spielzeug, Obst und Gemüse angeboten. Zwischen die dicht aneinandergebauten Häuser zwängen sich die Fassaden der Kirchen, durch geöffnete Tore blickt man in Innenhöfe, kleine Gärten und Laubengänge. Die Altstadt Brescias ist ein interessantes, von Leben erfülltes Labyrinth, überzogen von der Patina einer langen, wechselvollen Geschichte.

In der *Via Santa Chiara* findet man das ehem. **Kloster Santa Chiara** ⑬ mit einem hübschen Garten, von dem aus eine Treppe zur Burg hinaufführt. Die Kirche beherbergt heute ein Theater.

Wenig weiter in der *Via San Faustino* erhebt sich ein großer Bau mit einem schlichten Turm aus dem 12. Jh., der im eigenartigen Gegensatz zu der hohen, das Dach überragenden Fassade von 1664 steht. Die Kirche, 1622–98 erbaut, ist den **Santi Faustino e Giovità** ⑭ geweiht, die als Schutzpatrone Brescias verehrt werden. In den Statuennischen zu seiten des Portals erscheinen die beiden Märtyrer des 2. Jh. als römische Soldaten. Im Giebelfeld über dem Eingang hat der Bildhauer *Sante Calegari d. Ä.* (1662 bis 1717) die Enthauptung der beiden Heiligen dargestellt. Die reichgegliederte *Fassade* – im unteren Teil im dorischen, darüber im ionischen Stil mit Vasen, Obelisken und symbolischen Dekorationselementen geschmückt – ist ein Hauptwerk *Bernardo Fedrighinis* (1646–1733). Den weiten, eleganten *Innenraum* im Barockstil dominieren 14 mit einem Gebälk verbundene Doppelsäulen, die die hohen Arkaden tragen. Großartig ist die reiche Ausmalung der Kirche, bei der Scheinarchitekturen die Szenerien der *Fresken* umrahmen und akzentuieren. Den Mittelpunkt der aufwendigen Malerei bildet das Fresko im Gewölbe, welches die *Verklärung der Heiligen Faustino und Giovità* zum Thema hat. Über der überbordenden, illusionistischen Architektur öffnet sich gleichsam der Himmel; die beiden Heiligen treten vor den Thron der Heiligen Dreifaltigkeit. Das Fresko wurde von *Antonio Gandino* (1565–1630) und seinem Sohn *Bernardino* (1587 bis 1651) geschaffen, während *Tommaso*

Sandrino (1575–1630) der Meister der perspektivischen Malerei war. Von der Chorausmalung wird das Kuppelbild – Verklärung der beiden Heiligen – *Giovanni Battista Tiepolo* (1696–1770) zugeschrieben, während die seitlichen Fresken (das Märtyrium und die Errettung der Stadt Brescia durch die Heiligen) von dessen Sohn *Giovanni Domenico* (1727 bis 1804) stammen. Die Reliquien der beiden Stadtpatrone ruhen in dem aufwendig aus schwarzem und weißem Marmor gearbeiteten barocken Schrein über dem Hochaltar.

Westlich der Basilika SS. Faustino e Giovità liegt das Herzstück des alten Brescia, die **Contrada del Carmine**, ein dichtbewohntes, vom Verfall gezeichnetes Viertel. Die Kirche **Madonna del Carmine** ⑮ (15. Jh.) sticht durch ihr aus Ziegelsteinen gebautes Doppelportal im Stil der Spätgotik hervor. In der Via delle Grazie erhebt sich die mit schwerem barockem Dekor ausgestattete Wallfahrtskirche **Madonna delle Grazie** ⑯ (1522–1617). In ihrer Umgebung entstanden eine Anzahl barocker und klassizistischer Häuser und Paläste, deren Fassaden die Via Marsala, Via delle Grazie und Via Elia Capriolo beleben.

Die Kirche **San Giovanni** ⑰ liegt versteckt in einer schmalen, dunklen Gasse zwischen der Via Elia Capriolo und dem Corso G. Mameli. Erbaut wurde sie in der heutigen Form im 15. Jh. Bemerkenswert ist die **Sakramentskapelle** (letzte Seitenkapelle links vor dem Chor). Hier stehen Fresken von *Moretto* (1498–1554) und *Romanino* (1486–ca. 1560), den bedeutendsten Vertretern der Brescianer Renaissancemalerei, einander direkt gegenüber. Die beiden Künstler begannen 1521 mit der Ausmalung der Kapelle. Der damals 35jährige Romanino schuf die Bilder auf der linken Seite: Gastmahl und Fußwaschung, Auferweckung des Lazarus, Matthäus und Johannes, Hostienwunder und Propheten. Der 23jährige Moretto übernahm die Ausmalung der linken Wand: Mannalese, ein Engel weckt Elias, Lukas und Marcus, Abendmahl und Propheten.

Die Frage, ob die beiden Maler in Konkurrenz arbeiteten, oder sich – jeder in seiner Art – ergänzten, wird immer wieder gestellt. Der ältere Romanino besticht durch die charaktervolle, originale Ausarbeitung seiner Figuren, die naturalistisch, manchmal fast grobschlächtig erscheinen. Er war der irdischen Realität näher als sein jüngerer Kollege, dessen Bilder eine übernatürliche Schönheit anstrebten. Landschaft und Personen verstand Moretto zu einer harmonischen Einheit zu verbinden. Die Anmut und Lieblichkeit seiner Gestalten machten ihn wohl zum beliebteren Maler in Brescia. Weitere seiner Gemälde in San Giovanni zeugen davon: hinter dem Hochaltar eine Madonna mit Heiligen sowie an den Seiten Szenen aus dem Leben Johannes des Täufers und im dritten Seitenschiff rechts das Gemälde des Bethlehemitischen Kindermordes. Von Romanino sieht man in der ersten Seitenkapelle links eine Vermählung Marias sowie ein Gemälde Maria mit Kind und Heiligen am vierten Altar.

Beachtenswert ist die letzte Kapelle am Ende des linken Seitenschiffes. Hinter einem Vorhang verbirgt sich ein der Muttergottes geweihter Raum, der zu Beginn des 16. Jh. mit schönen, heiter und anmutig wirkenden Fresken von *Paolo da Caylina il Giovane* ausgemalt wurde. Lohnend ist ein Besuch des großen, doppelgeschossigen Renaissancekreuzganges (Zugang von außen, rechts neben dem Portal).

Im ehemaligen Viertel der Kupferschmiede, unweit des Corso Palestro, steht die Kirche **San Francesco** ⑱ (1254–65), deren marmorne Fassade mit einer großen gotischen Fensterrosette geschmückt ist. Das Rundbogenportal geht noch auf die romanische Zeit zurück. Im *Innern* öffnet sich eine großräumige Hallenkirche mit weitgespannten Arkaden. Im rechten Seitenschiff sind einige der schönen *Fresken* des 13., 14. und 15. Jh. erhalten, mit denen die Kirche ursprünglich vollständig ausgemalt war. Das Bild des Hochaltars – ›Maria mit dem Kind‹ – ist ein Frühwerk Romaninos, während Moretto die ›hl. Margarete mit dem hl. Hieronymus und Franz von Assisi‹ (1. Altar rechts) malte. Im 15. Jh. wurden an das linke Seitenschiff Kapellen angebaut, die teilweise später barockisiert wurden. Auffallend ist die vierte Kapelle – *Cappella dell'Immacolata* – mit prunkvoller Rokokoausstattung, mit Rankenwerk und Putten, abgeschlossen von einer dekorativen Marmorbalustrade. Sehenswert, jedoch nicht immer geöffnet, ist der große gotische *Kreuzgang* der Kirche aus dem 14. Jh. (notfalls bei der Klosterschule rechts neben der Fassade um Zugang bitten!).

Santa Maria dei Miracoli ⑲ (Corso

Der Cidneo-Hügel mit der Festung der Visconti ist ein beliebtes Ausflugsziel der Brescianer

Martiri della Libertà) wurde im 16. Jh. zur Verehrung eines wundertätigen Marienbildes errichtet und ist ein eigenartiger, mit kunstvollen Reliefdekorationen überladener Renaissancebau.

Die Kirche **Sant'Agata** ⑳ an der von faschistischer Architektur verunstalteten Piazza della Vittoria birgt eine ähnlich verschwenderische, barocke Ausstattung wie Santi Faustino und Giovità. Auch hier verblüffen die Scheinarchitekturen.

Ein Ausflug auf den **Cidneo-Hügel** ㉑ lohnt wegen der schönen Aussicht auf die Stadt. In der wehrhaften *Burg der Visconti* aus dem 14. Jh. ist ein *Waffenmuseum* untergebracht, welches vor allem wegen seiner Innenarchitektur interessant ist. Es wurde von dem bekannten Architekten *Carlo Scarpa* gestaltet. Seine Arbeit beeindruckt durch die Klarheit und intelligente Gliederung der Ausstellungsräume. Man sieht eine Vielzahl alter Rüstungen und Waffen aus allen Jahrhunderten.

Öffnungszeiten: Di–Fr 9–12.30 und 15–17 Uhr, Sa, So 9–12.30 und 15–18 Uhr

Praktische Hinweise

Tel.-Vorwahl Brescia: 0 30
Information: Azienda di Promozione Turistica del Bresciano, Corso Zanardelli, 34, Tel. 4 34 18, Fax 29 32 84

Hotel und Restaurant

**** Hotel Vittoria, Via X Giornate, 20, Tel. 28 00 61, Fax 28 00 65. Modernes Nobelhotel, im Zentrum gelegen.

La Sosta, Via San Martino della Battaglia, 20, Tel. 29 56 03. Erstklassige Geflügel- und Fischspezialitäten.

Von Trient bis Verona –
Trutzburgen entlang der alten Kaiserstraße

Von Norden kommend verläßt der Reisende beim Paß Salurn das deutschsprachige Südtirol und erreicht nun das deutlich italienisch geprägte Trentino. Seit dem frühen Mittelalter ist das stark befahrene **Etschtal** eine der wichtigsten Verkehrsadern zwischen Norden und Süden. Jahrhundertelang war es Objekt wechselnder Herrschaftsansprüche, kriegerischer Auseinandersetzungen und politischer Schachzüge. Die Neuzeit setzte mit Eisenbahn, Straßen und Autobahn ihre Akzente. Um Trient und Rovereto entstand eine ausgedehnte industrielle Bebauung, die dem von schroffen Berg- und Felsmassiven gerahmten Etschtal viel von seiner ursprünglichen Schönheit genommen hat. Man sollte jedoch nicht vergessen, daß die vielen Betriebe den Menschen der Region Arbeitsplätze und Einkommen garantieren.

Sobald man die Autobahn verläßt, um die alten Stadtkerne von Trient und Rovereto zu besuchen oder den Reiz der abseits liegenden kleineren Ansiedlungen und Weiler aufzuspüren, wird man einen ganz anderen Zugang zu dem Tal finden, das außerdem ein üppiger Obst- und Weingarten ist.

Die Zuflüsse der Etsch führten ihm am Ende der Eiszeit gewaltige Schuttkegel zu, die in dem lieblichen Talboden gewichtige Akzente setzen. Die größte und eindrucksvollste Ansammlung von Felsmassen findet sich in der **Veroneser Klause**, dem dramatischen Schlußakkord des Gebirgstales, bevor sich die Ebene von Verona öffnet.

Seit Jahrhunderten ist **Trient** der politische, geistige und wirtschaftliche Mittelpunkt des Gebietes zwischen Südtirol und Verona. Von hier aus bieten sich zwei Möglichkeiten, um den Gardasee zu erreichen: die Straße entlang der Etsch bis nach Mori, von wo aus man nach Torbole fährt, sowie die andere, romantischere Strecke durch das Sarcatal nach Riva del Garda.

TOP TIP

29 Trient
Plan Seite 86

Die heutige Provinzhauptstadt des Trentino lockt als Kunstmetropole mit glorreicher Vergangenheit.

Die Stadt im Etschtal, am Schnittpunkt zwischen dem deutschsprachigen Südtirol und dem italienischsprachigen Trentino und Veronese, hat nach einer gründlichen und einfühlsamen Restaurierung und Instandsetzung in den vergangenen Jahren außerordentlich gewonnen. Einige Straßenzüge der Innenstadt wurden neu gepflastert, die Fassaden der Häuser und Palazzi gereinigt und wiederhergestellt, so daß die Stadt sich als sympathische italienische Metropole mit nordischem Einschlag präsentiert.

<u>**Geschichte**</u> Trients Geschichte reicht weit zurück. Schon vor den Römern, die im 3./2. Jh. v. Chr. ins Etschtal vordrangen, siedelten hier Gallier und Räter.

Eine 1869 in Cles im Nonstal entdeckte Bronzetafel – die **Tavola Clesiana**

(heute im Schloß Buonconsiglio aufbewahrt) – dokumentiert das Edikt des *Kaisers Claudius* von 46 n. Chr., das den Tridentinern, Anauniern und Tulliassen und den Sidunern das römische Bürgerrecht zuspricht. Trient nahm früh das Christentum an. Der dritte Bischof der Stadt wurde der aus Rom stammende *Vigilius*, der von 385 bis etwa 400 sein Amt ausübte. Um 400 erlitt er den Märtyrertod, als er versuchte, die Bevölkerung des Sarcatales zum Christentum zu bekehren. Später erhob man Vigilius zum Stadtpatron und weihte ihm den Dom.

569 wurde Trient Sitz eines langobardischen Herzogtums. Nach jahrelangen Kämpfen und Plünderungen geriet es unter *Karl d. Gr.* 774 in den Besitz des Kaiserreiches. 952 erhob es *Otto II.* bei Gründung der Markgrafenschaft Verona zum Fürstbistum. Mit der berühmten Urkunde vom 31. 5. 1027 belehnte *Kaiser Konrad II.* den Trienter Bischof Ulrich II. mit dem ganzen Trentino. Geistliche Vasallen erschienen dem Kaiser verläß-

licher als weltliche Potentaten. Das **Fürstbistum** blieb bis 1796 bestehen. Bis ins 15. Jh. wurden die Bischöfe aus verschiedenen Ländern berufen, erst danach kamen sie ausschließlich aus Trentiner Adelsfamilien.

Eine wegweisende **städtebauliche Entwicklung** erlebte die Stadt unter *Bischof Friedrich von Wangen (1207–1218)*, in dessen Amtszeit der Dom, der Palazzo Pretorio und der älteste Teil des Castello del Buonconsiglio – das *Castelvecchio* – entstanden.

Löwen bewachen den nördlichen Seiteneingang des Domes von Trient

Das Konzil von Trient

Höhepunkt in der Geschichte Trients ist das Konzil, das 1545 bis 1563 – mit mehreren Unterbrechungen – stattfand. Einer der bedeutendsten Initiatoren und Wegbereiter dieser Kirchenversammlung war der Bischof **Bernhard von Cles***, eine der glänzendsten Persönlichkeiten unter den Trienter Fürstbischofen. Da er jedoch 1539, sechs Jahre vor Beginn des Konzils, starb, durfte sein Nachfolger* **Cristoforo Madruzzo** *die Bischofsversammlung im Trienter Dom eröffnen. Das ›Tridentinum‹, das erst nach zähen Verhandlungen zwischen Papst und Kaiser zustande kam, gehört zu den bedeutendsten Konzilen in der Geschichte der katholischen Kirche. Die Stadt Trient verstand sich während dieser Periode als geistiger Mittelpunkt Europas.*

Ziel der Zusammenkunft war ursprünglich, die durch den Protestantismus zerstörte **Einheit** *der Kirche wiederherzustellen. Doch kam es während der 2. Sitzungsperiode 1551/52 nicht zu der erstrebten Einigung. Statt dessen erneuerten die Bischöfe in ihren Beschlüssen jene Punkte, die die Reformation auf den Plan gerufen hatten: den Ablaß, die Heiligen- und Reliquienverehrung sowie die absolute Autorität des Papstes. Darüber hinaus vertiefte die Verkündigung vom Dogma der Erbsünde noch den Zwiespalt zwischen Katholiken und Protestanten. Das Konzil von Trient war ein Ausgangspunkt für die* **Gegenreformation** *in Europa, die die Achtung der neuen Religion bewirkte und der Inquisition neuen Auftrieb gab.*

Der bedeutendste Trentiner Fürstbischof war **Bernhard von Cles** (1485–1539). Er regierte 25 Jahre und bereitete das berühmte **Konzil von Trient** vor, das sechs Jahre nach seinem Tod 1545 begann und – mit mehrjähriger Unterbrechung – 18 Jahre lang dauerte. Bernhard von Cles, ein glänzender, einflußreicher Renaissancefürst, baute nicht nur den neuen Teil des Castel Buonconsiglio – den *Palazzo Magno* –, sondern er ließ auch das mittelalterliche Trient erneuern und verschönern. Aus seiner Zeit stammen viele der noblen Häuser und Paläste, die den Reiz der Altstadt ausmachen.

Während des Konzils regierte *Cristoforo Madruzzo*, Sproß einer bedeutenden Trentiner Adelsfamilie.

Nach dem Konzil verlor Trient mehr und mehr an Bedeutung. Doch von 1677 bis 1689 herrschte noch einmal ein herausragender Bischof: *Francesco Alberti Poia*, der die *Giunta Albertiana*, die Verbindung zwischen dem Castelvecchio und dem Palazzo Magno des Bernhard von Cles erbauen ließ. Dem Dom fügte er die prachtvolle barocke Kreuzkapelle an.

1703 wurde die Stadt während des spanischen Erbfolgekrieges von den Truppen des Generals Vendôme belagert. 1796 kam Napoleon Bonaparte selbst nach Trient und ließ eine Vielzahl kostbarer Kunstwerke abtransportieren, nachdem er das Fürstbistum aufgehoben hatte. 1813 übernahm Österreich die Stadt. 1858 wurde die Etsch, die den Ortskern in einem großen Bogen durchfloß, umgeleitet. Ein Jahr nach Ende des 1. Weltkrieges kam Trient schließlich an Italien. Seit 1972 ist das Trentino mit der Hauptstadt Trient eine autonome Provinz.

Besichtigung Mittelpunkt Trients ist die **Piazza Duomo**, die im Süden der romanische Dom beherrscht. An seine Apsis schließt sich das *Castelletto*, der erste befestigte Bischofssitz, mit einem schlanken Turm an (ehemals eine Kirche des 11. Jh.), daneben liegt der von Friedrich von Wangen (1207–1218) errichtete **Palazzo Pretorio** ①, heute Sitz des *Diözesanmuseums* mit dem Domschatz und den sieben großen flämischen Gobelins, die Bernhard von Cles 1531 in Köln erwarb (tgl. außer Mi 9–12 und 14–18 Uhr). Die Fassade des zinnengekrönten Bauwerks zieren die Wappen von Trient (Adler) und Brixen (Lamm) sowie das des Fürstbischofs Sigismondo Alfonso Thun (1668–77). Eine Gedenktafel erinnert an die Wiedervereinigung des Trentino mit Italien am 10. 10. 1920. Neben dem Prätorenpalast erhebt sich der hohe Stadtturm **Torre Civica**, einer der markantesten Akzente in der Stadtsilhouette.

Auffallend sind die **Rella-Häuser** an der Nordseite des Domplatzes mit ihren farbigen Fresken, die dem friaulischen Maler *Marcello Fogolino* zugeschrieben werden. Eine Fülle von Geschichten, Mythen und Allegorien, vielfach mit moralischem Inhalt, zieren die Wände über den Bögen der Kolonnaden. Neben den Laubenhäusern mit Cafés und Geschäften, die der Schaufassade des Doms gegenüberliegen, sind die **Casa Balduini** ② mit Fresken des 15. Jh. und ein ländliches Haus mit einer Madonna von 1583 bemerkenswert.

Die Mitte des stilvollen Domplatzes ziert der schöne barocke **Neptunbrunnen** ③ von Francesco Antonio Giongo aus Lavarone (1786).

Die von historischen Bauten verschiedener Jahrhunderte gerahmte Piazza beeindruckt durch ihre Harmonie und ›Wohnlichkeit‹.

Die Römer hatten an diesem Ort schon ihr ›Castrum Tridentum‹ errichtet, während sich ihre Akropolis auf dem **Dos Trento** erhob, dem mächtigen Felsblock im Etschtal, den heute das Mausoleum des Freiheitskämpfers *Giuseppe Battista* krönt. Er wurde 1916 hingerichtet.

Duomo San Vigilio ④

Eine frühe Basilika, in der die Gebeine des hl. Vigilius beigesetzt waren, wurde Anfang des 12. Jh. abgerissen. An ihre Stelle trat der Neubau unter Fürstbischof Friedrich von Wangen. Die schönsten Teile des heutigen Domes entstanden zwischen 1212 und ca. 1250, nämlich die nördliche Schauseite zum Platz hin, der Chor und das Querhaus. Der Bau zog sich bis in die Renaissancezeit hin und wurde erst für das Konzil von Trient (1545) fertiggestellt. Dennoch hielt man sich weitgehend an den romanischen Bauplan. Bernhard von Cles ließ zwar den Vierungsturm und den oberen Turmaufsatz des nördlichen Fassadenturms (der südliche wurde nie vollendet) abändern und die Vorhalle vor dem Nordeingang in gotischen, bzw. Renaissancestil gestalten, der Dom insgesamt jedoch tritt als romanisches Bauwerk in Erscheinung.

Im Jahre 1889 erfuhr die Kirche weitere Umbauten durch den Architekten Enrico Nordico aus Triest, der noch einmal den Vierungsturm veränderte und das Tonnendach durch ein Giebeldach ersetzte. Die **Nordseite** besticht durch die elegante Zwerggalerie mit achteckigen Doppelsäulen. Darunter öffnen sich Rundbogenfenster mit dekorativen Gewänden. Die Querschiffsmauer ziert eine besonders schöne *Fensterrosette*, die das Glücksrad darstellt. In der Mitte dreht Fortuna das Rad, während die 12 Gestalten am Außenrand aufsteigen oder abstürzen. Die Säulen der Vorhalle des 16. Jh. werden von zwei romanischen Löwen getragen. Im **Tympanon** des Portals thront eine eindrucksvolle Figur: Christus als Pantokrator (frühes 13. Jh.).

West- und Südseite des Domes sind wesentlich schlichter gestaltet. Über dem westlichen Rundbogenportal beeindruckt eine monumentale Fensterrosette mit feinem Maßwerk. Bemerkenswert an der Südfassade ist der würfelförmige Anbau der *Kruzifixkapelle* von 1682.

Prächtiger erscheint die Ostseite mit der mächtigen **Apsis**, die wie die Nordseite mit Zwerggalerie, Blendarkaden, hohen Fenstern und verschlungenen Säulen geschmückt ist. Das Portal mit einer Vorhalle verdient wegen der ›verknoteten‹ Doppelsäulen und der Löwen Beachtung.

Die Apsis des Domes ist mit der Südwand des **Castelletto** verbunden, dessen Fassade mit Schwalbenschwanzzinnen gekrönt und von drei ihnbogigen Fenstern

Der Domplatz mit dem barocken Neptunbrunnen ist der farbenfrohe, lebendige Mittelpunkt Trients

durchbrochen ist. Die leicht hervorgewölbte Apsis gehörte zur früheren Pfalzkapelle und dient heute als *Domsakristei*.

Im **Innern** überrascht das dreischiffige Langhaus – in sieben Joche unterteilt – durch die auf die Gotik verweisenden hochaufstrebenden *Pfeiler*. Obgleich die romanische Architektur beibehalten wurde, kann man die deutliche Streckung der Proportionen z. B. an der schlanken Beschwingtheit der Arkaden ablesen. Auch die Kreuzrippen, die das Gewicht des Gewölbes auf die Pfeiler übertragen, weisen bereits gotische Elemente auf, während der Spitzbogen sich noch nicht durchgesetzt hat. Einzigartig sind die in die starken Seitenschiffmauern eingebauten *Treppen*, die bis zu dem Glockenturm hinaufführen und durch eine anmutige Säulengalerie zum Innenraum hin abgeschlossen sind.

Die **Ausstattung** des Domes verfügt über eine Anzahl sehenswerter Kunstwerke, allen voran die *Fresken* des linken Querschiffes: die Enthauptung Johannes des Täufers, die ›Milchmadonna‹, Christus im Regenbogen sowie Szenen aus dem Marienleben (um 1370). Besondere

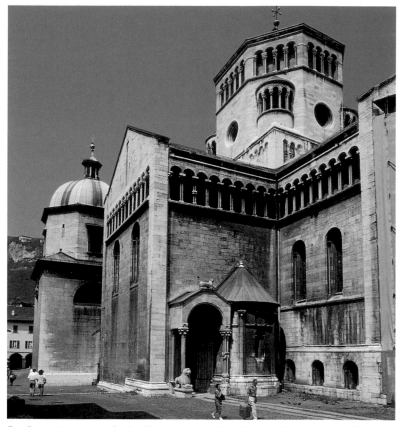

Der Dom, eine romanische Basilika, erinnert stark an deutsche Kaiserdome des Mittelalters

Beachtung verdient die Darstellung der Legende des *hl. Julian.* Die Fresken bestechen vor allem durch die stilisierten Landschaften und Stadtansichten im Hintergrund. Sie werden einem Künstler der Bologneser Schule des 14. Jh. zugeschrieben.

In der nördlichen Seitenapsis ist ein *romanisches Steinrelief* eingelassen, das das Martyrium des Evangelisten Johannes zeigt; darüber Fresken des 13. Jh. Im südlichen Querschiff erkennt man in der Seitenapsis die Steinigung des hl. Stefan auf einem Marmorrelief, ebenfalls 13. Jh.

Im nördlichen Querschiff hat man die ›*Madonna der Ertrunkenen*‹ aufgestellt, die ursprünglich außen, neben dem nördlichen Seitenportal stand. Früher legte man zu Füßen dieser außerordentlich majestätischen romanischen Figur eines Steinmetzen aus Como die in der Etsch Ertrunkenen nieder, damit sie von den Einwohnern identifiziert werden konnten.

Unter den *Grabmälern* im Dom verdienen vor allem Beachtung: die Tomba des Bernhard von Cles an der Nordwand, das mächtige Grabmal des Ulrich von Liechtenstein (1505) im südlichen Querschiff, sowie der Grabstein für Roberto da Sanseverino, einen General der Republik Venedig, der – Verlierer der Schlacht von Calliano 1486 – in der Etsch ertrunken ist und im Dom von Trient beigesetzt wurde.

Der barocke *Hochaltar* – eine Nachahmung des Bernini-Altars im Petersdom in Rom – wurde aufgrund eines Gelöbnisses während der Belagerung durch die Truppen Vendômes 1703 gestiftet. Wie durch ein Wunder entkam Trient der Zerstörung, weil Vendôme seine Soldaten abziehen mußte. Der prachtvolle Marmoraltar erscheint freilich als gewaltiger Stilbruch in dem schlichten spätromanischen Gotteshaus. Für die Aufstellung des hohen Säulenaufbaus mußte die Krypta zerstört werden. Erst 1964–77 wurden die Reste der ehemals riesigen *Unterkirche* ausgegraben. Sie ist heute wieder zugänglich und enthält Sarkophage und Gräber des 5.–11. Jh., darunter das des Seligen Adelpret (1156–1172), der neben dem hl. Vigilius als zweiter Trentiner Märtyrer verehrt wird.

Die von Fürstbischof Francesco Alberti Poia (1677–89) dem südlichen Seitenschiff angefügte ›**Cappella del Crocefisso**‹ bildet den Rahmen für die bewegte Kreuzigungsgruppe des Nürnberger Holzbildschnitzers *Sixtus Frey*. Vor dem Kruzifix haben die ersten Konzilssitzungen stattgefunden (später verlegte man sie in die Kirche Santa Maria Maggiore). Die Gemälde in der Kapelle – Geburt und Auferstehung Christi darstellend – sind Werke des Münchner Malers Karl Loth. Beachtung verdienen das wertvolle schmiedeeiserne Gitter sowie das aus einem Block gearbeitete Marmorbild ›Adam und Eva‹.

Altstadt

Der *Via Cavour* folgend, erreicht man vom Domplatz aus die **Kirche Santa Maria Maggiore** ⑤. Bernhard von Cles ließ sie anstelle einer älteren Kirche im prachtvollen Renaissancestil erbauen. Restaurierungen zu Beginn dieses Jahrhunderts haben den Stil der Kirche, in deren weitem Innenraum das **Konzil** tagte, jedoch stark verändert. Die Barockaltäre passen sich den Kapellen nur schlecht ein. Bemerkenswert sind das *Hochaltarbild*, eine farbintensive Darstellung der Himmelfahrt Mariens von Pietro Ricchi aus Lucca (17. Jh.), sowie die vier Gemälde des Veronesers Giovanni Maria Falconetto (1506) über der Westwand. Im Nordteil besticht die wertvolle marmorne *Orgelempore* des Vincenzo Grandi (1535). Sie ruht auf sechs kleinen Pfeilern, die fünf, mit ausdrucksstarken Hochreliefs geschmückte Paneele einschließen.

Nicht weit von hier, in der Via Rosmini, wurde eine **römische Villa** ausgegraben, deren farbenfrohes Fußbodenmosaik noch heute die Prachtentfaltung einstiger Besitzer erahnen läßt (Di und Do 10–12 Uhr; 1. So im Monat 10–12 Uhr).

Die repräsentativste Straße Trients, die **Via Belenzani**, führt vom Domplatz gen Norden. Eine Reihe schöner Paläste flankieren sie: Rechts der **Palazzo Thun** ⑥ – heute das Rathaus Trients –, in dessen Innenhof das Original der marmornen Neptunfigur des Brunnens auf dem Domplatz aufgestellt ist. Im Treppenaufgang kann man einen schönen Freskenzyklus des Veronesers Felice Brusasorci (1551) bewundern.

Gegenüber erhebt sich einer der schönsten Trientiner Paläste, der **Palazzo Geremia** ⑦. Er erscheint als besonders wertvolles Zeugnis aus der glanzvollen

Die Fassade des Palazzo Geremia freskierten Künstler aus Venedig

Das Castelvecchio mit der venezianischen Loggia ist nur ein Teil des gewaltigen Bischofspalastes ›Castello del Buonconsiglio‹

Epoche des Bernhard von Cles. Die Fassade ist mit lebhaften Fresken bedeckt. Scheinarchitekturen fügen die dargestellten Ereignisse derart geschickt in die wirkliche Architektur ein, daß sich die Grenzen verwischen. Im zweiten Stock ist der Einzug Kaiser Maximilians I., der 1508 in dem Palast übernachtete, dargestellt. Im ersten Geschoß wird sehr anschaulich eine Konferenz zwischen Venezianern und Kaiserlichen geschildert.

Unweit des Geremia-Palastes fällt die **Casa Alberti-Colico** ⑧ mit farbenprächtigem, vorwiegend dekorativem Freskenschmuck auf. Die *Via Belenzani* schließt im Norden mit der Fassade der **Kirche San Francesco Saverio** ⑨ (Franz Xaver), der einstigen Jesuitenkirche, ab. Sie ist die bedeutendste Barockkirche der Stadt mit prunkvollen Marmorkapellen, üppigen Dekorationen und einem großen, eleganten schmiedeeisernen Gitter. Die Ausmalung aus dem 19. Jh. beeinträchtigt jedoch den architektonisch schön gegliederten Raum.

Geht man die **Via Roma** und die **Via Manzi** hinauf, erscheint der Weg mit einem Defilee nobler, größtenteils renovierter Fassaden wie ein Gang durch die Geschichte der Stadt. Einer der schönsten Plätze ist die **Cantone**, die Kreuzung der Via San Marco mit der Via San Pietro bzw. Via del Suffragio. Besonders sticht der **Palazzo del Monte** ⑩ mit zwei übereinanderliegenden Marmorbalkonen hervor.

Castello del Buonconsiglio ⑪

Der Via San Marco folgend, stößt man bald auf die mächtigen Rundbastionen, hinter denen sich das gewaltige Castello del Buonconsiglio erhebt. Die Herren dieses Schlosses, das in mehreren Bauphasen entstanden ist, haben sowohl das Schicksal als auch die Architektur Trients über Jahrhunderte beeinflußt. Das Schloß ist gleichsam das sichtbare Zeugnis der Geschichte dieser Stadt.

Die mittelalterliche **Stadtmauer** ist der älteste Teil der Anlage. Neben dem wehrhaften Rundturm entstand Anfang des 13. Jh. unter Friedrich von Wangen (1207–18) das **Castelvecchio**, das 1239 vollendet war. 1475 baute Fürstbischof Johannes Hinderbach (1465–86) die schöne *venezianische Loggia* an, von der sich ein großartiger Blick über die Altstadt von Trient bietet. Er erweiterte den Palast außerdem um den *Arkadenhof* im Stile der Frührenaissance.

Bernhard von Cles genügte der alte Palastbau nicht mehr. Er ließ ein neues, größeres Gebäude – den *Palazzo Magno* – errichten, der sich an die alten Befestigungsanlagen anlehnt. Gegen die Stadt hin ließ er neue Ringmauern anlegen. Erst Fürstbischof Alberti Poia (1677–89) schloß die Lücke zwischen den beiden Palästen. Die **Giunta Albertiana** ist – zumindest äußerlich – so gestaltet, daß die Schloßfassade einheitlich erscheint. Man betritt den Schloßkomplex durch das sogenannte *Diamantentor*. Der Name wird auf das diamantenförmige Bossenwerk der Steinquadern zurückgeführt.

Das Clessche Emblem, das den Palast vielerorts schmückt, stellt ein aus sieben Ruten gebildetes Bündel mit der Inschrift »Unitas« dar. Der gesamte **Palazzo Magno** erscheint als eine großartige Selbstdarstellung des stolzen Bernhard von Cles. Dennoch versäumte es der Bischof nicht, den Herrschern seiner Epoche – Maximilian I., Karl V. und Ferdinand I. –

durch Bildwerke seine Referenz zu erweisen.

Während der napoleonischen Besetzung und später als österreichische Kaserne wurde der Palast stark beschädigt und ausgeplündert. Trotzdem präsentiert er sich heute – nach grundlegender Restaurierung – wieder als ein überaus wertvolles Zeugnis der Renaissance.

Aus der Fülle der sehenswerten Säle, Kammern und Zimmer seien hier nur die bedeutendsten herausgegriffen: Im *Treppenhaus* und in der *Loggia* im ersten Stock schuf *Gerolamo da Romano* aus Brescia (1486 – ca. 1560) die farbenprächtigen *Freskenzyklen*, die die Wände fast vollständig bedecken. Mythologische und höfische Szenen stehen neben Darstellungen aus der Politik und der Arbeitswelt. Bemerkenswert sind vor allem die charaktervollen Porträts, die der Meister schuf.

Um den nach den Brunnenfiguren so genannten *Löwenhof* gruppieren sich drei Flügel mit prachtvoll ausgestatteten Sälen. Hier sind das *Audienzzimmer*, wo Romanino ein Porträt des Bernhard von Cles über der Tür zum Balkon schuf, und die *Camera del Caminero* mit verschwenderischen Dekorationen und

Die Monatsfresken im Adlerturm des Schlosses gelten als die wertvollsten Kunstschätze Trients

Das Oktoberbild zeigt Bauern bei der Weinlese und beim Keltern der Reben

Fresken rund um die vier Kardinaltugenden hervorzuheben.

Neben dem Durchgang zum Castelvecchio befindet sich die *Kapelle* mit interessanten Terrakottafiguren im Stil des Manierismus von *Zaccaria Zacchi.* Gegenüber das ehemalige *Refektorium,* wo ein österreichisches Kriegsgericht 1916 die italienischen Irredentisten Battisti und Filzi zum Tode verurteilte und im Graben des Schlosses hinrichten ließ. Man hat den Raum so gelassen, wie er während der Gerichtsverhandlung war.

Im *zweiten Stock* befinden sich die *Prunksäle* des Fürstbischofs. Von besonderer Schönheit sind die geschnitzten und vergoldeten Renaissancedecken mit von *Dosso Dossi* raffiniert gemalten, täuschend dreidimensional wirkenden Architekturfriesen. Beachtung verdienen auch die zahlreichen Kamine und Tafelbilder sowie einige schöne Möbelstücke, die den Räumen Wohnlichkeit verleihen. In verschiedenen Sälen sind interessante Teile der Sammlung des *Museo Nazionale* ausgestellt. Im Südflügel befinden sich die Clesschen Privatzimmer mit bemalten Decken. Die ehemalige *Bibliothek* weist eine große, von Dossi bemalte Kassettendecke auf. Die hier dargestellten Dichter und Philosophen sind nicht mehr vollständig erhalten.

Durch einen überdachten Gang entlang der Stadtmauer erreicht man den **Adlerturm.** Dabei durchquert man den *Falkenturm,* dessen mittlerer Raum im 18. Jh. mit Landschaftsbildern des Malers *Bartholomäus Dill* ausgeschmückt wurde. Die Darstellung von Adligen, die scharenweise der Jagd nachgehen, entbehrt nicht einer gewissen Komik.

Den Adlerturm ließ Fürstbischof Georg I. von Liechtenstein (1390–1419) von einem Maler aus dem Norden mit einem **Freskenzyklus** von ›**Monatsbildern**‹ ausmalen. Sie sind die wertvollsten Kunstwerke im gesamten Schloßkomplex. Obwohl um 1400 noch im gotischen Stil gehalten, haben sie bereits weltliche Themen zum Inhalt. Die ehemals zwölf Monatsbilder (der März wurde durch den Einbau einer Treppe zerstört) stellen die Betätigungen von Adligen und Bauern im Verlauf der Jahreszeiten dar. Im Vordergrund sieht man die Freuden und Zerstreuungen des Adels, während im Hintergrund das Landvolk seinen Arbeiten nachgeht. Die Poesie und Faszination dieser Bilder liegt in der Lebendigkeit der Darstellungen und den liebevoll beobachteten Details. Der Januar etwa präsentiert sich mit einer Schneeballschlacht der Noblen vor der Kulisse der Burg Stenico; der Mai hingegen ist mit Liebesszenen verziert. Der Dezember bietet als Kulisse der Brennholzsammler die früheste idealisierte Stadtansicht von Trient. (Der Adlerturm kann nur in kleinen Gruppen mit Führung besichtigt werden. Anmeldung in der Loggia des Romanino.)

Der älteste Teil des Schlosses, das **Castelvecchio**, hat im Laufe der Jahrhunderte viele Veränderungen und Umbauten erfahren. Sein heutiges Aussehen erhielt es unter Johannes von Hinderbach (1465 – 86).

Bemerkenswert ist der große *Bischofssaal*, den man von der Loggia aus betritt. Er ist mit den Porträts der Fürstbischöfe von Ulrich II. (11. Jh.) bis Peter Vigilius Thun (1776 – 1800) ausgemalt. Mit ihm hörte das Fürstbistum auf zu existieren.

Durch die sog. *Stua Vecchia* mit einer Sammlung wertvoller Kachelöfen gelangt man in ein holzverkleidetes Appartement, das Bernhard von Cles während der Bauzeit des ›Palazzo Magno‹ als Wohnbereich diente. Das Castelvecchio beherbergt im ersten Stockwerk außerdem eine *Archäologische Sammlung* und in den ehemaligen Schreinerwerkstätten das ›*Museo del Risorgimento*‹ mit Dokumenten zu den italienischen Freiheitskämpfen.

Öffnungszeiten des Schlosses Buonconsiglio: 1. April – 30. Sept. Di – So 9 – 12 und 14 – 17.30 Uhr; 1. Okt. – 31. März 9 – 12 und 14 – 17 Uhr (freier Eintritt am 1. und 3. Sonntag jeden Monats)

Kirchen

Unweit des Torre Vanga, neben dem Busbahnhof, liegt die **Abtei San Lorenzo** ⑫, eine romanische Basilika aus dem 12. Jh. mit mächtigem Quadermauerwerk aus Marmor. Kräftige Rundstützen und weitgespannte Arkaden gliedern den dreischiffigen, schmucklosen Innenraum.

Am gegenüberliegenden Etschufer, zu Füßen des Dos Trento, gelangt man zu **Sant' Apollinare** ⑬. Der sehr schmale, hochragende Bau, der zwischen dem 12. und 14. Jh. errichtet wurde, besitzt ein steiles Satteldach und einen hohen Turm. Der Innenraum enthält ein Freskenfragment Madonna mit Kind, um 1320. Der

Christus im Presbyterium sowie der hl. Apollinaris im Hochaltar werden *Albrecht Altdorfer* zugeschrieben.

An der Via Oriola erhebt sich die **Kirche SS. Pietro e Paolo** ⑭, ein gotischer Bau mit neugotischer Fassade, die an venezianische Paläste erinnert. Die dreischiffige Anlage schmücken ornamentale Rankenmotive an der Decke. Sehenswert ist auch der mächtige, marmorverzierte Hochaltar.

Praktische Hinweise

Tel.-Vorwahl Trient: 04 61
Information: Azienda per la Promozione Turistica, Via Romagnosi, 3, Tel. 83 90 00, Fax 26 02 45

Hotels und Restaurants

**** **Accademia**, Vicolo Colico, 4/6, Tel. 23 36 00, Fax 23 01 74. Stilvolles Haus in einem alten Palast.

**** **Buonconsiglio**, Via Romagnosi, 14/16, Tel. 27 28 88, Fax 27 28 89. Sehr modernes, schickes Hotel, für Liebhaber exklusiver Ausstattung.

*** **Villa Madruzzo**, Trento-Cognola, loc. Ponte Alto, 26, Tel. 98 62 20, Fax 98 63 61. Elegante Villa etwas außerhalb der Stadt Richtung Venedig in einem sehr schönen Garten gelegen; ausgezeichnete Küche mit Trentiner Spezialitäten.

Ristorante Chiesa, Via San Marco, 64, Tel. 23 87 66. Erstklassige, phantasievolle Küche; Spezialität das sechsgängige ›Apfel Menu‹.

Osteria a ›Le due Spade‹, Via don A. Rizzi, 11, Tel. 23 43 43. Geschmackvolles, alt eingerichtetes Lokal mit gepflegter, anspruchsvoller Küche.

30 Toblino

Das schöne Farbspiel gibt dem Toblinosee einen besonderen, idyllischen Akzent.

Wenn man von Trient anstelle der Autobahn Richtung Rovereto die Landstraße über den Paß von Vezzano nimmt, erreicht man Riva del Garda auf einer sehr reizvollen Strecke abseits des großen Verkehrsstromes. Entlang des Tales, wo der *Lago di Terlago* eingebettet liegt – während des Konzils von Trient beliebter Erholungsort der geistlichen Teilnehmer, erreicht man kurz vor dem Ort an tal den **Lago di Toblino**: Zwischen steil abfallenden Felswänden, umgeben von Schilf und Steineichen, gehört dieser kleine See zu den romantischsten der vielen Gewässer des Trentino.

 Auf einer in den See ragenden Halbinsel erhebt sich das **Castel Toblino**, umgeben von einem Park mit uralten Bäumen, bewacht von einem mächtigen Turm. Seit dem 17. Jh. ist es im Besitz der Familie Wolkenstein, davor war es Sommerresidenz der Trienter Fürstbischöfe. Die heutige Anlage stammt im wesentlichen aus dem 16. Jh., als die Familie Madruzzo die mittelalterliche Burg des 12. Jh. zu einem komfortablen Wohnsitz umbaute.

Durch den Torgang betritt man einen romantischen Innenhof mit schattigen Laubengängen und Loggien sowie stilvoll bemalten Holzbalustraden im ersten Stock. Die mit altem Mobiliar, stimmungsvollen Kandelabern und verblichenen Renaissancefresken geschmückten Räume gehören heute zu einem Restaurant, in dem es sich stilvoll speisen läßt. Ein Teil der Räume des Schlosses wird auch für Ausstellungen zur Verfügung gestellt. Der Besucher sollte es nicht versäumen, den *vino santo*, einen schmackhaften Dessertwein, zu probieren, der in den umliegenden Weinbergen gedeiht.

Im nahen Ort **Sarche** erreicht man den Fluß Sarca, den wasserreichsten Zulauf des Gardasees. Es empfiehlt sich, statt auf der großen Straße nach Riva die kleinere Parallelstraße zu nehmen und an dem besonders stillen, malerischen **Lago di Cavedine** entlangzufahren. Am Ende stößt man auf die Straße, die sich zu der eindrucksvoll über dem Tal thronenden Burg Drena hinaufwindet.

31 Drena

Eine der großen mittelalterlichen Anlagen des Trentino, die einst die Handelswege bewachten.

Die Burg Drena diente als nördliche Grenzkontrolle der Ebene von Arco, die im Süden von der Burg Penede bei Torbole geschützt wurde. 1703 wurde sie von den französischen Truppen des Generals Vendôme verwüstet.

Während der letzten zehn Jahre gelang es, das zusammenbrechende Gemäuer durch umfangreiche Sanierungsarbeiten vor dem weiteren Verfall zu bewahren.

Mauern und Türme wurden restauriert und teilweise wieder aufgebaut, so daß der Besucher einen guten Eindruck von einer mittelalterlichen Burganlage erhält. Eine Ausstellung in den renovierten Räumen der ehemaligen Wohnbauten zeigt die historische Entwicklung der Burg Drena. Im Sommer finden hier wie in zahlreichen anderen Schlössern des Trentino Feste statt; außerdem werden mittelalterliche Märkte organisiert.

Von den Zinnen der Burg hat man einen beeindruckenden Blick über das Sarcatal mit seinen schroffen, von den Eiszeitgletschern glattgeschliffenen Felswänden und über die Steinwüste der Marocche zu Füßen des Kastells.

Öffnungszeiten: Di – So 9.30 – 12.30 und 14 – 18 Uhr, im Juli und Aug. Di – So 9.30 – 12.30 und 15 – 19.30 Uhr. Jan. – Apr. und Nov. – Dez. Sa / So 9.30 – 12.30 und 14 – 18 Uhr

Marocche

Fährt man von der Burg Drena aus zurück ins Sarcatal, durchquert man eine eigenartig wüste Landschaft. Riesige Felsblöcke säumen die Straßen, kahle Gesteinsmassen bilden eine trostlose Trümmerlandschaft, die bis ins 19. Jh. einen nahezu unpassierbaren Sperriegel bildete. Diese Marocche genannte Steinwüste entstand am Ende der Eiszeit, als nach dem Rückzug der Gletscher Teile der Bergflanken zu Tal stürzten. An den umliegenden Bergen kann man noch die Abbrüche erkennen, die sich über 15 km Länge hinziehen.

32 Arco

Ort wilder Geschichten in dramatischer Lage.

Das ganze Tal bis Arco erhält seinen besonderen Reiz durch die fruchtbaren Obst- und Weinplantagen, die von den steilen Felswänden gerahmt werden. Besonders schön sind die im Laufe des Tages mit der Sonneneinstrahlung sich verändernden Graufärbungen des Gesteins. Für Kletterer sind die fast senkrecht abfallenden Felswände eine beliebte sportliche Herausforderung.

Geschichte Das Stadtbild von Arco beherrscht der hohe **Burgberg**, der nach Norden steil abfällt, während er im Süden ein gemäßigteres Gefälle aufweist. Hier baute das Geschlecht der Arco seine

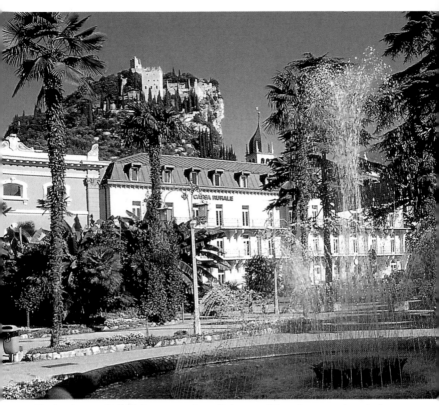

*Im 19. Jh. erbauten die Habsburger ›moderne‹ Paläste und Kuranlagen vor der mittel-
alterlichen Kulisse der Burg von Arco*

Festung und verteidigte sie seit dem Jahr 1124 erfolgreich gegen alle Feinde bis ins Jahr 1703, als die Truppen Vendômes die Burg weitgehend zerstörten. Mit Zinnen und Mauern wurde der Berg gesichert, mit Bastionen bewehrt und mit einer bewohnbaren Burganlage, dem **Castello d'Arco**, gekrönt. *Albrecht Dürer* hat die zu seiner Zeit noch vollständige Anlage 1495 in einem Aquarell festgehalten, dessen beinahe fotografische Treue beeindruckt. Die martialische Ansicht des steilen Berges lockern Zypressen, Olivenbäume und Steineichen auf und verleihen ihr einen heiter südländischen Charakter.

Die Arcos, die hier ihren Stammsitz hatten, waren ein außerordentlich gewalttätiges Geschlecht, das durch Intrigen und Verrat, durch Fälschungen und einen skrupellosen Ehrgeiz seinen Machtbereich immer weiter ausdehnte. Die Geschichte dieses Hauses gleicht einem mittelalterlichen Kriminalroman, und die Burg von Arco erscheint als das passende Ambiente für diese finsteren Ereignisse.

Besichtigung Die Altstadt von Arco schmiegt sich ringartig um den Burgberg. In ihrem mittelalterlichen Häusergewirr läßt sich manch pittoresker Platz, manch schöner Brunnen und eine Vielzahl nobler Portale entdecken. Den Hauptplatz vor der **Kirche ›Collegiata‹** schmückt ein großer *Moses-Brunnen* aus dem Jahr 1600. Die Kirche selbst – erst kürzlich renoviert – ist im Jahr 1671 im Stil der Spätrenaissance fertiggestellt worden. Der hohe, monumentale Innenraum birgt prunkvolle Altäre und Gemälde meist einheimischer Maler. Bemerkenswert ist eine Darstellung des hl. Michael von dem Veroneser Künstler *Felice Brusasorci*. Von besonderem Reiz ist die *Orgelempore*, wo Skulpturen musizierender Bürger die sonst üblichen Putti ersetzen.

Die Arcos bauten zwischen 1500 und 1600 drei Paläste in der Stadt. Auffallend ist der **Palazzo Marchetti** neben der ›Collegiata‹, den ein Freskenfries mit der Darstellung von Göttern, Helden und Nymphen ziert. Das Dach ist mit dekora-

Fresken in der Kirche San Rocco aus der Schule des Andrea Mantegna

tiven venezianischen Kaminen gekrönt. Im Innern befindet sich ein *Restaurant* (Cantina Marchetti), dessen Räume noch im Stil der Ranaissance erhalten sind.

Vor der Altstadt trifft man inmitten eines Palmengartens auf weitläufige Gebäude im Stil der k.u.k. Monarchie, hervorstechend das große Gebäude des ehemaligen **Casinos.** 1872 hatte der Habsburger Erzherzog Albrecht das angenehm milde Klima Arcos entdeckt und sich einen Palast bauen lassen. Ihm folgten andere Mitglieder des Kaiserhauses, die hier den ›frühesten Frühling‹ erleben wollten. Arco avancierte am Ende der österreichischen Herrschaft zum ›Nizza des Trentino‹.

Zwei kleine Kirchen am Ortsrand, die nicht ganz leicht zu finden sind, gehören zu den wertvollsten Beispielen mittelalterlicher Kunst in Arco.

Die romanische **Kirche Sant'Apollinare in Prabi** (am linken Sarca-Ufer, vor der Brücke Richtung Trient dem Hinweisschild »Campingplatz« folgen) ist ein Kleinod aus dem 7. Jh. Das Innere ist mit *Fresken* des 14. Jh. ausgemalt, die das Martyrium der Heiligen Apollinaris, Laurentius und anderer sowie eine Kreuzigung, Grablegung, eine Verkündigung und eine thronende Madonna zeigen. Die Fresken gelten als herausragende Beispiele der Veroneser Malerei dieser Zeit. Außen an der Südwand haben sich – durch ein Dach geschützt – lombardische Wandmalereien aus der Zeit um 1540 gut

erhalten. Sie faszinieren durch die lebendige, detailfreudige Darstellung, die noch ganz der gotischen Malweise verpflichtet ist. Besonders schön die Abendmahlszene, die die ganze obere Kirchenwand bedeckt.

Öffnungszeiten: Im Juli/August ist die Kirche zu den üblichen Zeiten geöffnet. Sonst kann man im Nachbarhaus um den Schlüssel bitten.

Im Ortsteil *Caneve* – gleich hinter der Brücke der Straße Richtung Rovereto-Torbole folgend – findet man links neben der Hauptstraße die **Kirche San Rocco.** Sie liegt etwas versteckt hinter einer Häuserreihe. Diese kleine Kirche lohnt den Abstecher wegen der reichen *Freskomalerei* im Innern, die der *Schule Andrea Mantegnas* (1431 – 1506) zugeordnet wird.

Neben der Darstellung des schlafenden San Rocco im Presbyterium sieht man einen Freskenzyklus mit der *Passion Christi.* Beeindruckend sind die für Mantegna typischen illusionistischen Landschaften und Architekturen, vor denen sich das Geschehen abspielt. Die drei *Altäre* des Gotteshauses sind mit qualitätvollen Gemälden der venezianischen Schule ausgestattet.

Öffnungszeiten: Die Kirche ist nicht immer geöffnet; am besten besucht man sie vor oder nach den sonntäglichen Gottesdiensten oder versucht, den Schlüssel im Haus Via dell'Indipendenza Nr. 4 zu bekommen.

Praktische Hinweise

Tel.-Vorwahl Arco: 04 64
Information: Azienda di Promozione Turistica, Arco, Viale delle Palme, 1, Tel. 51 61 61, Fax 53 23 53

Hotel und Restaurant

**** Hotel Villa delle Rose, Via Santa Caterina, Tel. 51 90 91, Fax 51 66 17. Modern gestaltetes Haus, 5 Min. von der Altstadt entfernt; Zentrum für Bio-Kuren mit Hallen- und Freibad.

Ristorante alla Lega, Via Vergolano, 4, Tel. 516205. Ausgezeichnete, anspruchsvolle Küche in angenehmer Atmosphäre.

33 Valle Lagarina

Abseits der Autobahn lassen sich Burgen, Dörfer und Kirchen entdecken.

Südlich von Trient bekommt das Etschtal einen neuen Namen – Lagarinatal – und zugleich ein neues Gesicht. Es wird weiter und lieblicher, die Dörfchen ziehen sich an sanften, mit Weingärten und Obstplantagen bewachsenen Hängen hinauf. Erst an der Grenze der Provinzen Trient und Verona wird es wieder enger und rauher. Das Tal hat ein mildes, trockenes Klima, das den Rebenanbau begünstigt. König der hier kultivierten

Die Festung über der Altstadt von Rovereto

Weine ist der ›Marzemino gentile‹, dem Mozart im ›Don Giovanni‹ ein Denkmal setzte. Dutzende von Herrenhäusern, viele verfallen, einige noch bewohnt, wurden an strategisch wichtigen Punkten errichtet. Die Burgen garantierten jahrhundertelang den durchziehenden Heeren und den Warentransporten sicheren Schutz. Heute durchqueren Eisenbahn, Autobahn und Straßen das Tal, die zentrale Verkehrsader zwischen Italien und Nordeuropa.

Vor Rovereto fallen die Burgen Castel Pietra und Castel Beseno ins Auge. Mit gewaltigen Bastionen, Türmen und Zinnen thront das **Castel Beseno** oberhalb der Ortschaft **Calliano** wie eine ausgestorbene Bergstadt auf dem Hügel, der das Tal des Rio Cavallo sperrt. Mit ursprünglich drei Burganlagen ist es die größte Festung des Gebietes, die über Jahrhunderte die Funktion eines wehrhaften Wachtpostens innehatte.

Öffnungszeiten: April – Nov. Di – So 9 – 12 und 14 – 17.30 Uhr

Strategisch noch bedeutender war das **Castel Pietra**, das sich hinter Calliano an einen Bergabhang des Monte Finonchio klammerte und Hüter des hier engen Taldurchganges war. Im Innern wurden Fresken des 15. Jh. entdeckt. Leider ist die in Privatbesitz befindliche Burg nicht öffentlich zugänglich.

Nördlich des Ansitzes dehnt sich jene Ebene aus, in der die berühmte *Schlacht von Calliano* 1487 stattfand, in der die Venezianer von den Tirolern geschlagen wurden. Ihr Heerführer *Roberto Sanseverino* ertrank damals in der Etsch. Er wurde im Dom von Trient beigesetzt; Kaiser Maximilian stiftete das Grabmal [s. S. 88].

34 Rovereto

Eine alte, venezianisch geprägte Kulturstadt.

Das mittlere Lagarinatal beherrscht die Stadt Rovereto. Sie liegt an den Ausläufern der Monti Finonchio und Zugna, gegenüber der Kette des Bondone-Stivo. Der sich um die Stadt ausbreitende Industriegürtel sollte nicht davon abhalten, ihr einen Besuch abzustatten. Im Kern der Altstadt haben sich repräsentative Bauten des Mittelalters, der Renaissance und des Barock erhalten. Der älteste Kern der Stadt entwickelte sich um die Burg, die im 14. Jh. von den Castelbarco auf einer älteren Anlage neu gebaut wurde. Die Architektur der Stadthäuser trägt deutliche Spuren der Herrschaft Venedigs, die von 1416–1509 dauerte. Die Serenissima führte damals die Seidenraupenzucht ein, die zur Entwicklung einer bedeutenden **Seidenindustrie** führte und dem Ort Reichtum und Blüte brachte. In dieser Epoche entstanden die stattlichen Bauten an der Piazza Erbe, die Piazza Malfatti und in den angrenzenden Straßen.

Ein Bummel durch die Gassen Via Orefici, Via Rialto, Via Mercerie, eine Rast auf der Piazza Erbe, die sich auf die Piazza Malfatti öffnet, und schließlich der Weg durch die mittelalterlichen *Torbögen* der Via Portici vermitteln einen guten Eindruck von der altertümlichen Struktur Roveretos.

Die Piazza San Marco beherrscht die gleichnamige **Stadtkirche**, die im 16. Jh. im Stil des Barock erbaut wurde. Eine gewaltige Tonne überwölbt den stattlichen Saalbau, der im 18. und 19. Jh. erweitert und mit zahlreichen Altären ausgestattet wurde. Um 1900 brachte der Mailänder Calori die Stuckdekorationen im Stil des Rokoko an. Bemerkenswert ist auch die große Orgel der Kirche.

Das **Rathaus** an der Piazza Podestà zu Füßen der Festung charakterisiert ein niedriger Laubengang. Die Fassade des Gebäudes ist mit Schachbrettdekorationen und einem – leider schlecht erhalte-

nen – Freskenfries darüber verziert. Den Innenhof schmücken Wappen der Castelbarco, der Venezianischen Dogen sowie der Habsburger, Zeugnisse der wechselhaften Geschichte Roveretos.

Die **Kirche Santa Maria alle Grazie** an der Via Vannetti baute 1727 der Architekt Andrea Colomba als achteckigen Zentralbau mit Kuppel. Besonders schön ist das mit zierlichen Blumenornamenten ausgeführte schmiedeeiserne Gitter vor dem Presbyterium.

Über der Stadt erhebt sich an herausragender Stelle die wehrhafte **Festung** mit drei Türmen und einer Bastei. Die heutige Anlage wurde im wesentlichen Ende des 15. Jh. erbaut. Sie ist eine der ersten Festungen, die auf die Verwendung von Feuerwaffen abgestimmt waren. Im Innern wurde 1920 das *Museo storico italiano della guerra* eingerichtet mit einer umfangreichen Sammlung von Waffen, Urkunden, Uniformen und Erinnerungsstücken aus verschiedenen Kriegen (vor allem aus dem 1. Weltkrieg). Die Botschaft dieses Museums ist eine eindringliche Warnung vor weiteren kriegerischen Auseinandersetzungen.

Öffnungszeiten: April–Juni und Okt.–Nov. Di–So 8.30–12.30 und 14–18 Uhr, Juli–Sept. Di–So 8.30–18 Uhr

Die gleiche Mahnung für den Frieden symbolisiert die **Friedensglocke ›Maria Dolens‹** auf dem Hügel Miravalle oberhalb Roveretos. Sie wurde 1924 in Trient aus der Bronze von Kanonen gegossen, die im Ersten Weltkrieg eingesetzt worden waren (1964 wurde ein neuer Guß notwendig). Täglich bei Sonnenuntergang läutet sie im Andenken an die Kriegsopfer.

Öffnungszeiten: Okt.–15. Mai 9–12 und 14–17 Uhr, 16. Mai–30. Sept. 9–12 und 15–18 Uhr

Praktische Hinweise

Tel.-Vorwahl Rovereto: 04 64
Information: Azienda di Promozione Turistica, Via Dante, 63, Tel. 43 03 63, Fax 43 55 28

Restaurant

Ristorante San Colombano, Via Vicenza, 30, Tel. 43 60 06. Das Restaurant liegt unweit der sich in den Fels schmiegenden Einsiedelei San Colombano. Schmackhafte Küche der Region, sehr gepflegte Weine.

Kriegerische Szenen schmücken das Haus der Wachmannschaften in der Burg von Avio (14. Jh.)

35 Avio

Eine interessante Burganlage mit außerordentlich schönen Fresken aus dem 14. Jahrhundert.

Fährt man das Lagarinatal weiter nach Süden, vorbei an dem alten Städtchen *Ala*, dessen Paläste an die im Mittelalter florierende Seidenindustrie erinnern, erreicht man rechts der Etsch den Marktflecken Avio. Den alten, von engen Gassen durchzogenen Ort überragt das stattliche **Castello di Sabbionara**. Die schon 1053 erwähnte Anlage wurde im 13. Jh. von Guglielmo II. Castelbarco umgebaut und vergrößert. Dieser einflußreiche Adlige, ein Zeitgenosse Cangrandes I., war vom Verona der Scaliger stark geprägt, weshalb auch die Burg im veronesischen Stil entstand, als eine Synthese von Verteidigungs- und Wohnschloß. Der Graf war einer der Stifter der Kirche Sant'Anastasia in Verona. Sein Grabmal steht auf dem Bogen des Portals zwischen den Kirchen Sant'Anastasia und San Pietro Martire in Verona (s. S. 123).

Unter dem großen Bergfried fügt sich die repräsentative Anlage dem abfallenden Hanggelände harmonisch an. Die *Befestigungsmauern* reichen den ganzen Berg hinab, schließen nicht nur die verbliebenen Gebäude, sondern auch terrassenförmige Gartenanlagen mit ein. Hervorragend sind die *Freskenzyklen*, die sich noch aus dem 14. Jh. erhalten haben.

In der sog. **Casetta delle Guardie**, dem Haus der Wachmannschaften, sieht man außerordentlich lebendige *Fresken*, die verschiedene Kriegsszenen sowie eine Darstellung des hl. Georg im Kampf gegen den Drachen zum Inhalt haben. Auch die Burg von Avio ist – zwar perspektivisch noch unvollkommen, doch malerisch anschaulich – festgehalten. Es ist dies der früheste profane Freskenzyklus im Trentino. Die realistische Darstellung von Kampfhandlungen zwischen großen, mittelalterlich gerüsteten Kriegerfiguren beeindruckt nachhaltig. Wahrscheinlich sollte sich die Wachmannschaft im Angesicht dieser Szenen in ständiger Alarmbereitschaft halten.

Anders wirken die Fresken im **Turm des Bergfrieds**, wo sich der Graf seine privaten Zimmer romantischer und friedlicher ausmalen ließ. Man hat den Raum den Namen **Camera d'amore** gegeben; anscheinend war er vollständig mit höfischen Liebesszenen ausgestattet, die aber heute nur noch mit viel Phantasie auszumachen sind. Die wenigen anmutigen Damen, die sich in Gärten ergehen, erfüllen kaum die Erwartungen, die man sich von erotischen Szenerien verspricht. Man muß sich mit den zarten Andeutungen zufriedengeben, die von den farbenfrohen Fresken des unbekannten Veroneser Künstlers geblieben sind. Auch ohne Erotik lohnen sie den Aufstieg in den hohen Turm.

Öffnungszeiten: Feb.–Sept. Di–So 10–13 und 14–18 Uhr, Okt.–Dez. Di–So 10–13 und 14–17 Uhr

Südlich von Borghetto, an der Grenze zwischen den Provinzen Trentino und Verona, treten die Felswände immer dichter zusammen. Man erreicht die **Veroneser Klause**, einst gefürchtetes Hindernis und strategisch wichtiger Punkt für die Heere, die nach Süden zogen. Die Klause und die umliegenden Höhen wurden von den jeweiligen Landesherren im Laufe der Zeit mit Befestigungsanlagen geradezu gespickt. 1796 schlug Napoleon bei Rivoli die feindlichen Österreicher; deshalb trägt noch heute eine der elegantesten Straßen in Paris den Namen Rivoli.

Verona – das Tor Italiens

Verona, die uralte, weltberühmte Stadt, gelegen auf beiden Seiten der Etsch, war immer gleichsam die erste Station für die germanischen Wandervölker, die ihre kaltnordischen Wälder verließen und über die Alpen stiegen, um sich im güldenen Sonnenschein des lieblichen Italiens zu erlustigen.« (Heinrich Heine, 1828, Italienreise.) Tatsächlich wird der Reisende, der von Norden kommt, Verona als die erste typisch italienische Stadt empfinden: voller Leben, voller Geschäftigkeit, zugleich ein Hort künstlerischer und architektonischer Kostbarkeiten.

36 Verona

Plan s. hintere Umschlagklappe

Die erste ›italienische‹ Stadt wurde von Römern, Scaligern und Venezianern geprägt.

Die Lage der in die Windungen der Etsch gebetteten Stadt ermöglicht es dem Spaziergänger, immer wieder andere, neue Perspektiven und Ausblicke zu entdecken. Dennoch erschließt sich die Schönheit Veronas nicht spontan; sie verbirgt sich eher mit einer gewissen Scheu, verführt auf sanfte, zurückhaltende Weise. Sie reißt nicht hin, betört nicht wie Florenz oder Venedig, aber sie bezaubert durch Würde und einen besonderen, beinahe ernsten Charme.

Als ›Tor Italiens‹ am Fuße der Alpen gelegen, nahm Verona über Jahrhunderte hinweg eine Schlüsselstellung in der Geschichte Oberitaliens ein. Schon mehrere Jahrhunderte hatten Gallier und Veneter hier eine Siedlung gegründet, die im Jahr 89 v. Chr. ohne Widerstand in die römische Provinz *Gallia Cisalpina* integriert wurde.

Römisches Handelszentrum

Die Römer bauten die Stadt in einer weiten Schleife der Etsch zu Füßen der *Lessinischen Alpen*, umgeben von sanften Hügeln, die nach Süden in die Ebene auslaufen. Es war die Heimat Catulls und Vitruvs, der Ort, an dem Julius Caesar gerne verweilte. Nach wohldurchdachten Plänen erbaut, schützten Mauern und prächtige Tore (Porta Borsari, Porta Leoni) die Stadt. Im Jahre 49 v. Chr. erhielten die Bewohner das römische Bürgerrecht.

An der Kreuzung der Via Claudia Augusta und der Via Postumia, die von Norden nach Süden, bzw. von Osten nach Westen verliefen, sowie der Via Gallia, die in west-östlicher Richtung ganz Ober-

italien durchzog, entwickelte sich Verona nicht nur zu einem wichtigen strategischen Knotenpunkt, sondern erblühte auch zu einem bedeutenden Handelszentrum. Das römische Straßennetz ist noch heute an den schachbrettartig verlaufenden Verkehrsachsen zu erkennen. Die *Piazza delle Erbe* war ehemals das Forum, das Capitolium stand da, wo sich heute der *Palazzo Maffei* erhebt. Zwei Brücken überquerten die Etsch, von denen der *Ponte Pietra* erhalten geblieben ist. Am linken Ufer der Etsch entstand das Theater und auf der Kuppe des Hügels San Pietro das *Castrum*.

Ostgoten, Langobarden, Karolinger

Die Völkerwanderung berührte natürlich auch Verona, doch blieb die Stadt weitgehend unzerstört. Im Jahre 488 drang der **Ostgotenführer Theoderich** nach Italien vor. 490 besiegte er den herrschenden Germanenführer Odoakar bei Verona und ermordete diesen schließlich nach zweijähriger Belagerung in Ravenna. Theoderichs Reich umfaßte schließlich ganz Italien bis zur Provence. In den Jahren 493–526 herrschten Friede und Wohlstand. Der Ostgotenkönig förderte Bildung und Kultur der Antike. Der in Verona häufig residierende König ging in die germanische Heldenepen als *Dietrich von Bern* ein.

568 kamen langobardische Völkerscharen über die Alpen und fielen 569 in Verona ein. Die Stadt wurde zur Residenz ihres Königs Alboin. Erst 774 gelang es **Karl d. Gr.** das Reich der Langobarden zu erobern. Der Kaiser ernannte seinen Sohn **Pippin** zum König von Italien. Dieser residierte in dem von Theoderich erbauten Palast in Verona. Zahlreiche Kirchen und Klöster entstanden in dieser Zeit, papsttreue Mönche siedelten

sich in den Monasterien an. Verona blieb jedoch einer der wichtigsten Stützpunkte kaiserlicher Macht in Italien.

Die italienischen Könige Berengar I. und Berengar II. versuchten im 9./10. Jh. nach dem Untergang der Karolinger ein neues Königreich zu errichten. Doch sie mußten schließlich **Otto I.** weichen, den der Papst nach Italien gerufen hatte und der 962 in Rom zum Kaiser gekrönt wurde. Die von Otto gegründete **Mark Verona** bildete fortan einen der wichtigsten Stützpunkte der deutschen Kaiser jenseits der Alpen.

Kampf der Adelsfamilien

Vom 10. Jh. bis zur Entstehung der freien Kommune Verona (1136) hatte das Haus der Grafen Sambonifazio die Vorherrschaft inne. Zum ersten Mal wurden im Jahre 1136 Konsuln in Verona gewählt.

Die führenden Familien der Stadt begannen nun, um den Einfluß in der Kommune zu kämpfen. Die **Ghibellinen** (Kaisertreuen) – in Verona die Monticoli – stritten mit den **Guelfen** (Papsttreuen), die dem Hause Sambonifazio angehörten. 1226–27 wurde der den Monticoli nahestehende **Ezzelino III. da Romano** zum Podestà gewählt. Er verbündete sich mit *Kaiser Friedrich II.* und heiratete dessen uneheliche Tochter Selvaggia. Ezzelino entwickelte sich zu einem gefürchteten Tyrannen, der einen brutalen Kampf gegen die Adelsfamilien entfachte. Im Jahre 1259 wurde er in der Schlacht von Cassano d'Adda besiegt. Zu seinem Nachfolger wählte das Volk Mastino della Scala. Mit ihm begann die 128 Jahre (1259–1387) währende Ära der Scaliger in Verona.

Die Herrschaft der Scaliger

Verona erlebte während der Zeit, in der die Familie della Scala regierte, seine größte Blüte. Bis zum Sturz der Scaliger 1387 entwickelte sich die Stadt zu einer Großmacht; fast das gesamte Veneto befand sich im Besitz der Veroneser. Das Haus der della Scala, das eine aufsteigende Leiter (*scala*) im Wappen trug, förderte Handwerk und Kaufmannswesen und schränkte den Einfluß des Adels ein. Als *Ghibellinen* unterstützten die Scaliger die Interessen des Kaisers. Ihr glanzvoller Hof war ein Hort der Kunst und Literatur; der Florentiner Dichter Dante fand hier Zuflucht während seines ersten Exils. In seiner ›Göttlichen Komödie‹ setzte er den Scaligern ein Denkmal.

Das Reiterstandbild des lächelnden Cangrande della Scala wurde zu einer Symbolfigur Veronas

Überall entstanden zu jener Zeit in Italien die *Signorien* von Familien, die meist aus dem Kleinadelsstand kamen und die einmal gewonnene Macht durch die Wahl zum Podestà del popolo, eines von den Ständen geschaffenen Amtes, mit allen Mitteln zu halten suchten. Auf diese Weise war **Mastino della Scala** in Verona erstmals an die Regierung gekommen und fortan mit allen Kräften bemüht, den Einfluß der einst mächtigsten Adelsfamilie, der Sambonifazio, auszuschalten. Diese konnte tatsächlich den einmal verlorenen Einfluß nicht mehr zurückgewinnen. Seine Gegner ließ er entweder ausweisen oder hinrichten. Gleichzeitig war Mastino klug genug, den Handel mit Venedig zu verstärken; es gelang ihm, die wirtschaftliche Großmacht für sich zu gewinnen. 1277 wurde Mastino in der Nähe seines Palastes an der Piazza dei Signori von seinen Gegnern ermordet.

Sofort wählte das Volk, das einen Niedergang des gerade begonnenen, florierenden Handels befürchtete, Mastinos Bruder **Alberto della Scala** (1277–1301), zum neuen Podestà. Dieser sicherte sich weitreichende Rechte und Machtbefugnisse, um den Einfluß der Familie zu festigen. So ließ er sich zum Capitano del Popolo auf Lebenszeit ausrufen. Auf diese Weise entwickelte sich eine Art Erbrecht, das allerdings kaum als legitim angesehen werden kann.

Alberto folgten seine Söhne Bartolomeo (gest. 1304), Albuin (gest. 1311) und Canfrancesco, genannt Cangrande, der

1329 starb. Unter der Herrschaft des Bartolomeo soll sich die Geschichte von *Romeo und Julia* zugetragen haben. Obwohl nicht verbürgt, wirft sie doch ein Licht auf die herrschenden Zustände und Streitigkeiten in Verona zu dieser Zeit. **Cangrande I. della Scala** (1311–29) war die bedeutendste Persönlichkeit des Geschlechts der Scaliger; er verkörperte das Ideal eines Signore des 14. Jh.; er war ein bedeutender Feldherr und Eroberer, ein kluger Taktiker, aber auch ein eigennütziger Intrigant. Seinen Gegnern gegenüber galt er trotzdem als milde und gerecht. »Seine wohlbekannte Großmut wird sich so offenkundig zeigen, daß selbst seine Feinde vor ihr verstummen«, schrieb Dante im ›Paradiso‹. Cangrandes Hof wurde zu einem der glanzvollsten in Italien. Künstler, Gelehrte, auch Handelsherren und Heerführer kamen nach Verona. Neben Dante weilte auch Giotto hier, um einen Saal des Scaliger-Palastes auszumalen.

Heinrich VII. erhob Cangrande schließlich zum kaiserlichen Vikar von Verona. Mit dieser Machtposition gelang es ihm, beinahe das ganze Veneto zu unterwerfen. Sein Traum war ein norditalienisches Großreich.

Seinem Nachfolger **Mastino II.** (gest. 1351) wäre dieser Traum beinahe gelungen, was jedoch andere Adelsfamilien – wie die Visconti von Mailand oder die Gonzaga von Mantua – auf den Plan rief. Nach seiner Niederlage in der Schlacht von Padua (1337) mußte Mastino II. große Teile seines Reiches abtreten.

Das Ende der Scaliger und die Herrschaft Venedigs

Die Regierung der folgenden Scaliger erwies sich als wenig ruhmreich. Sie taten sich vor allem als Tyrannen und Brudermörder hervor. **Cangrande II.** (1351–59) ließ 1354–56 das Castelvecchio am Ufer der Etsch erbauen, weil er sich – vom Volk gehaßt – in seinem Stadtpalast nicht mehr sicher fühlte. Verona nannte ihn *Can Rabbioso* (tollwütiger Hund). Bei einem seiner seltenen Ausgänge wurde er von seinem Bruder **Cansignorio** ermordet. Dieser ließ die elegante Brücke vom Castelvecchio über die Etsch errichten, um notfalls einen Fluchtweg ans andere Ufer und in die Berge zu haben. Um die Herrschaft seiner illegitimen Söhne zu sichern, ließ Cansignorio (1359–75) auch seinen Bruder Albuin hinrichten, angeblich weil er Verrat an ihm begangen habe. Als aber der eine der Söhne, Bartolomeo, ermordet wurde und der Verdacht auf seinen Bruder Antonio fiel, machte der Veroneser Adel der Skrupellosigkeit und politischen Unfähigkeit der Scaliger ein Ende.

Die Familien Bevilacqua, Malaspina und andere traten als ›Condottiere‹ in den Dienst der Visconti. Verona, dessen Stadttore von den Bürgern geöffnet worden waren, fiel kampflos in ihre Hände.

Antonio della Scala floh im Oktober 1387 mit einem Schiff nach Venedig. Damit hatte die Tyrannei der Scaliger ein Ende gefunden, zugleich aber auch die politische Unabhängigkeit der Stadt Verona, die nun die Visconti in Besitz nahmen. Ihre Herrschaft erwies sich jedoch als ebenso tyrannisch wie die der Scaliger. Sie dauerte bis 1404.

1405 unterwarf sich Verona der **Republik Venedig**. Es folgte eine lange Epoche des Friedens. ›Die Herrschaft der sanften Hand‹ der Serenissima ließ im 16. Jh. Verona zu einer außerordentlich wohlhabenden Stadt erblühen.

Venedigs Regentschaft endete erst mit dem Einfall der Napoleonischen Truppen 1796. Verona kam zunächst an Österreich, wurde 1801 bis 1805 zwischen Frankreich und Österreich geteilt und 1814 wieder österreichisch. 1866 fiel es dann endgültig an das neu gegründete italienische Königreich.

Die Stadtmauern

Veronas Stadtmauern sind zum großen Teil noch erhalten. Im Laufe der Jahrhunderte wurden sie vielfach verändert, erweitert und den Belangen der jeweiligen Zeit angepaßt.

Die römische Stadtmauer verlief von der heutigen Brücke Vittorio Emanuele zur noch erhaltenen Porta Borsari, folgte der jetzigen Via A. Cantore bis zur Kirche San Nicolo. Von dort verlief sie in nördlicher Richtung durch die Via Leoncino und traf auf das stark befestigte Ausfalltor Porta Leoni, von dem noch ein kleiner Teil in der Via Leoni, der Verlängerung der Via Capello, zu sehen ist.

Die ›muri novi‹ des Mittelalters wurden weiter stadtauswärts errichtet, denn sie sollten auch die im Hochmittelalter entstandenen neuen Stadtviertel am Etschufer schützen. Die *Arena*, die in römischer Zeit außerhalb lag, war nun in den Mauerring miteinbeschlossen. Zwischen 1132 und 1153 wurden die alten römischen und frühmittelalter-

Der Baumeister Veronas

Michele Sanmicheli (1484–1559), der berühmte Erbauer von Befestigungsanlagen, Kirchen und Privatpalästen, arbeitete entlang der Küste der Levante, vorrangig aber in seiner Vaterstadt Verona, wohin er nach Lehrjahren in Rom zurückgekehrt war. Beeinflußt von den klassischen Formen der Antike steht er im gleichen Rang wie Palladio und Sansovino. In Verona baute er die ersten vorspringenden Bastionen und die schönen Stadttore, z.B. die ›Porta del Palio‹, zugleich aber auch bedeutende Paläste, die Kuppel von San Giorgio in Braida und die klassisch schöne Cappella Pellegrini in San Bernardino.

lichen Mauern auch am linken Ufer bis zu den Hügeln hinaufgezogen, wo man sie noch heute sieht. Die Scaliger ließen während ihrer Regierungszeit die Stadtmauern noch einmal so erweitern, daß die vor der Stadt angesiedelten Klöster wie San Zeno, San Bernardino und Santa Maria in Organo am linken Etschufer miteingeschlossen wurden.

Während der langen, friedvollen Regierungszeit der Venezianer entstanden dennoch die starken Bastionen mit den sehenswerten Stadttoren, die der Architekt und Festungsbaumeister *Michele*

Sanmicheli schuf. Er verbreitete die mittelalterlichen Mauern durch sternförmige, bis zu 6 m breite Bastionen und Wälle. Die **Porta del Palio** ①, eines der Ausfalltore im Südwesten der Stadt, gilt als das schönste Stadttor Italiens. Die Österreicher errichteten während ihrer Besatzungszeit (1814–66) die sogenannten ›Toricelle‹ – wehrhafte Zitadellen, Wachtürme und Forts – auf den strategisch wichtigen Hügeln rund um die Stadt. Von hier hat man einen herrlichen Rundblick über Verona und die Etschschleifen bis hinein in die Poebene.

Piazza delle Erbe ②

Seit Jahrhunderten konzentriert sich Leben und Treiben der Veroneser auf drei Plätze, deren Charakter und Formen sehr unterschiedlich sind. Die Piazza delle Erbe (Platz der Kräuter) dient seit Beginn der Stadt als **Markt**. Die Römer hatten an der gleichen Stelle ihr Forum, allerdings mit größeren Ausmaßen als sie der heutige Platz umfaßt. Goethe faszinierten »Gemüse und Früchte«, während Heinrich Heine sich vom Lächeln der Frauen »wie's nur auf der Piazza delle Erbe so lieblich geschah« angezogen fühlte. Beides läßt sich auch heute noch bei einem Bummel zwischen den hölzernen Marktbuden, die von weißen, kunstvoll übereinandergeschichteten Sonnenschirmen beschattet werden, erleben.

Früher versammelte sich das Volk zur Abstimmung auf dem Platz. Die Beschlüsse des Podestà sowie Gerichtsur-

Die Porta del Palio stellt Sanmichelis Gespür für Formen und Proportionen unter Beweis

Brücken, Türme, Kirchen bestimmen das Bild der Altstadt von Verona; malerisch ist der Ausblick vom Colle di San Pietro

teile wurden von dem in der Mitte postierten baldachinartigen ›Capitello‹ – im Volk auch ›Berlina‹ genannt – verkündet. Gegenüber diesem steinernen Baldachin erhebt sich über einem mächtigen römischen Wasserbecken die Statue der **Madonna Verona**, das Wahrzeichen der Stadt. Die Masken zu ihren Füßen, aus denen das Wasser sprudelt, stellen Verona, Kaiser Lucius Verus und die Könige Alboin und Berengar dar. Die Figur der Madonna ist eigentlich eine römische Statue, deren Kopf und Arme im 14. Jh. ergänzt wurden.

In der Südwestecke des Marktes ließ Gian Galeazzo Visconti die **Colonna del Mercato** aus rotem Veroneser Marmor errichten. Einst war sie mit den Wappen der Visconti geschmückt. Am anderen Ende des Platzes, vor der mächtigen barocken Fassade des **Palazzo Maffei** ⓐ, steht als Symbol der venezianischen Herrschaft eine Säule mit dem geflügelten *Markuslöwen*. Der barocke Maffeipalast von 1668 erscheint in seiner prachtvollen, verschwenderischen Architektur mit einer statuengeschmückten Balustrade ungewöhnlich im Stadtbild Veronas

Er wird von dem **Torre Gardello** flankiert, der die älteste, von Cansignorio della Scala 1370 gestiftete *Stadtuhr* trägt. Der Mechanismus und das Gehäuse der Uhr gehen auf das Jahr 1421 zurück.

Schräg gegenüber dem Torre Gardello erhebt sich 83 m hoch (mit Hilfe eines Aufzugs zu ›besteigen‹) der **Torre dei Lamberti** (1172 ursprünglich für einen Familienpalast begonnen), der die mittelalterliche Stadt beherrschte und einen der prägnantesten Akzente in der Silhouette Veronas darstellt. Er gehört zum **Palazzo Comunale** [s. S. 106], einem mächtigen Vierflügelbau mit großem Innenhof. Die um 1194 beendete Anlage diente als Repräsentationsbau und Justizpalast der Stadtrepublik Verona. Er war Versammlungsort der höchsten Gremien der Stadt, wie dem Rat der 500, der zeitweise bis zu 1200 Mitglieder umfaßte.

Das im streng romanischen Stil erbaute Gebäude wird durch die in Verona typische Verwendung zweifarbiger Steine (roter Ziegelstein mit hellem Tuffstein versetzt) aufgelockert. Dreifache Rundbogenfenster und Bogenfriese beleben zusätzlich die Mauerwände. An da

Freskierte Hausfassade an der Piazza delle Erbe

Front, zur Piazza delle Erbe hin, erhielt sich die klassizistische Verkleidung von 1810, die an den anderen Fassaden wieder entfernt wurde. Den abgeschlossenen Hof umgeben hohe Rundbogenarkaden, unter denen sich im Mittelalter Kaufläden ausbreiteten, weshalb der Hof noch heute *Cortile del Mercato Vecchio* (alter Markt) heißt. Eine elegante, aus rosafarbenem Marmor gehauene Freitreppe – die *Scala della Ragione* – entstand während der venezianischen Regierung zwischen 1447–50. Stilistisch gehört die Treppe mit ihrer kunstvoll gearbeiteten Balustrade in die Übergangszeit zwischen venezianischer Gotik und Renaissance.

Gegenüber dem Palazzo Comunale steht die mit Zinnen gekrönte und von Arkaden unterbrochene **Casa dei Mercanti** ⓑ (Ecke Via Pelliciai), das ehemalige Versammlungsgebäude der Kaufleute. Das Haus ist eine Rekonstruktion des alten Gebäudes aus dem Jahr 1878 und Sitz der Handelskammer.

Das schönste Ensemble des Platzes bilden zweifellos die gegenüberliegenden **Case dei Mazzanti** ⓒ, benannt nach der Familie Mazzanti, die die Häuser 1517 erwarb. Im 14. Jh. waren sie im Besitz der Scaliger. Die neuen Eigentümer, reich gewordene Gewürzhändler, ließen die Fassaden von dem Maler *Alberto Cavalli* mit mythologischen Fresken schmücken. Bemerkenswert ist auch der durchgehende Balkon mit Außentreppe an der Rückseite der Gebäude, die im

Lauf der Zeit gleichsam zu einem Haus zusammengewachsen sind.

Rund um die Piazza dei Signori ③

Während man die Piazza delle Erbe als merkantilen Mittelpunkt Veronas erlebt, erscheint die Piazza dei Signori als ein vornehmer, etwas kühler Platz, wo die Regierung und die Gerichtsbarkeit residierten und die Verwaltung der Kommune Verona ihren Sitz hatte; sie war das Zentrum der Scaligerherrschaft. Fünf Straßendurchgänge, die reich verzierte Bögen überspannen, münden auf den Platz. Von der Piazza delle Erbe erreicht man ihn durch den *Arco della Costa*, vorbei an den monumentalen Mauern des **Palazzo Comunale** ⓓ. Man betritt ein saalartiges Rechteck, das von Gebäuden verschiedener Epochen und Stilarten flankiert wird. Der älteste Bau ist der Palazzo del Comune (1183–94), gleichsam das Bindeglied zwischen Piazza delle Erbe und Piazza dei Signori.

Daneben erhebt sich der düstere **Palazzo dei Tribunali** ⓔ. Der gedrungene Wehrturm des Palastes ist der Rest einer gewaltigen festungsartigen Anlage des Cansignorio della Scala von 1365. Die venezianischen Umbauten im 15. Jh. und das vorgebaute Säulenportal, das *Michele Sanmicheli* 1530 schuf, verminderten kaum das bedrohliche Erscheinungsbild des Palastes. Im Innenhof erinnern Kanonen und Trophäen an die Artillerieschule, die hier untergebracht war. Reste der römischen Stadt können unter der freigelegten Pflasterung des Hofes besichtigt werden.

Einen interessanten Eindruck von Geist und Macht der Scaliger vermittelt noch immer der **Palazzo del Governo** (f) (heute Provinzregierung) am Ostende des Platzes. Mit dem Tribunalspalast ist er durch den *Arco della Tortura* verbunden, wo während der venezianischen Herrschaft zur Ermahnung und Abschreckung die Folterwerkzeuge aufgehängt wurden.

Der Palast mit seinem auffallenden ghibellinischen Zinnenkranz war die Stadtresidenz der Scaliger, Herrschaftssitz des Cangrande della Scala in der Blütezeit Veronas. Im 14. Jh. hatte er den Ruf, ein bedeutender, künstlerischer Mittelpunkt Italiens zu sein, als Giotto und Altichiero hier arbeiteten und Dante den Schutz des großen Cangrande genoß. Die von den Scaligern gegen den Platz hin geschlossene Front wurde 1419 von dem venezianischen Podestà, der fortan in dem Palast residierte, durch Arkaden geöffnet. *Michele Sanmicheli* schuf 1553 das prachtvolle, repräsentative Renaissancetor. Den schönen Innenhof der alten ›Reggia della Scala‹ umgeben frühromanische und gotische Loggien. Ein Brunnen aus Veroneser Marmor bildet

den Mittelpunkt des Hofes. Der Palast ist nicht zugänglich. Die Fresken, mit denen Giotto den Festsaal der Scaliger ausmalte, sind nicht mehr erhalten, die des Altichieri nur noch bruchstückhaft.

Die kleine romanische **Kirche Santa Maria Antica** (g) mit einem etwas düsteren dreischiffigen Innenraum war die Hauskirche der Familie della Scala. Auf dem Platz zwischen der Kirche und dem Palast erheben sich die eigenartigen, in ihrer Architektur einmaligen **Grabmonumente** der della Scala. Dies ist gewiß der ungewöhnlichste Friedhof, der sich denken läßt.

Den ›cimitero‹ umschließt ein kunstvolles schmiedeeisernes Gitter aus dem 14. Jh., in dem immer wieder das Symbol der Scaliger – die Leiter – eingeflochten ist. Das älteste Grab, das des **Cangrande** (gest. 1329) befindet sich noch außerhalb des eigentlichen Friedhofs. Es ist in der Fassade über dem Portal der Kirche Santa Maria Antica eingelassen. Auf einem mit den Reliefs der Verkündigung und einer Pietà geschmückten Sarkophag ruht eine Skulptur des Toten unter einem von korinthischen Säulen getragenen Baldachin. Ein zweites Mal ist er als Lebender, als Ritter zu Pferde, auf die Spitze des Baldachindaches dargestellt. Die Reiterstatue fasziniert nicht nur durch das hin-

Vornehm gibt sich die Piazza dei Signori; hier wurde regiert, verwaltet, gerichtet

Darstellung von Macht über den Tod hinaus – Grabmal des Cansignorio della Scala

tergründige Lächeln des Cangrande, interessant ist auch sein hoher Helm, der mit Schwingen und einem Hundekopf (*cane*) verziert ist. Die Orginalstatue steht heute im Museo Civico im Castelvecchio.

Auf dem umzäunten Friedhof sind die schlichten Sarkophage der Mitglieder der Familie eng beisammen aufgestellt. Herausragend und alle übrigen Gräber in den Schatten stellend, erscheinen die freistehenden Monumente des Mastino II. (gest. 1351) und des Cansignorio (gest. 1375). Der Sarg des **Mastino** ruht auf einem von vier Säulen getragenen Podest. Den Toten umgeben vier schöne Engelsfiguren. Wimperge und zierlich gearbeitete Statuettenhäuschen zieren den Baldachin über dem Sarkophag. Auf der Spitze des Pyramidaldaches erscheint Mastino als Ritter im Helm mit geschlossenem Visier. Wirkt dieses Grab in seiner gotischen Formgebung noch verhältnismäßig schlicht, so erscheint das achteckige Monument des **Cansignorio** ver-

schwenderisch, mit einer Fülle raffinierter, spätgotischer Details, mit Figuren und Reliefs, filigranen Statuettenhäuschen und symbolischen Gestalten. Der Aufbau dieses Prunkgrabes ist der gleiche wie der der beiden anderen: Der Herrscher ruht als Toter auf dem Sarkophag, während er auf der Dachkrone als lebender Krieger zu Pferd dargestellt ist. Grabmal und Denkmal sind hier erstmals als eine Einheit gestaltet.

Kehrt man von hier aus zur Piazza dei Signori zurück, wird man von der schönen, heiter wirkenden **Loggia del Consiglio** ⓗ rechts des Palazzo del Governo angezogen. Dieser Bau nimmt eine Sonderstellung inmitten der schweren, monumentalen Gebäude der Scaliger ein. Außerordentlich elegant, repräsentiert er mit der von schlanken Rundbögen geöffneten Arkadenreihe der Loggia, über der sich im ersten Stock zweiteilige Fenster öffnen, die ›toskanische‹ Leichtigkeit. Zwischen 1476 und 1493 entstanden, trägt der Palast die Züge der italienischen Frührenaissance; er wird dem Veroneser Architekten Fra Giovanni Giocondo zugeschrieben. Typisch für Norditalien und Verona ist die in warmen Farben gestaltete Fassade.

Der Saal im ersten Stockwerk diente als Versammlungsort des Stadtrates, während die Loggia für repräsentative Anlässe genutzt wurde. Fünf *Marmorstatuen* Veroneser Persönlichkeiten aus römischer Zeit schmücken das Dach des Gebäudes: der Poet Valerius Catull, der Literat Plinius d. Ä., der Historiker Cornelius Nepos und der Architekt Vitruv.

Durch einen Bogen mit der Loggia del Consiglio verbunden, folgt nun ein schlichter Renaissancebau (um 1500), in dem Veronas ältestes und berühmtestes Café, das **Caffè Dante**, zum Verweilen einlädt. Ehemals war es ein bekannter Literatentreff. Hier läßt es sich trefflich ausruhen vis-à-vis der würdevollen *Statue Dante Alighieris*, der Verona 1316–20 als ›Exil‹ gewählt hatte. Die neoklassizistische Skulptur schuf der Veroneser Bildhauer Ugo Zanoni (1865).

Die obere Schmalseite des Platzes wird von dem **Palazzo dei Giudici** ⓘ abgeschlossen, dem früheren Sitz der venezianischen Richter. Er stammt aus der 2. Hälfte des 17. Jh. Unter dem Bogen neben dem Palazzo befindet sich eine Tafel, die an den ungeklärt gebliebenen Mord an *Mastino I.* 1277 an dieser Stelle erinnert.

Casa di Giulietta / Pal. Capuleti ④

Von der Piazza delle Erbe führt die *Via Capello* – eine lebhafte Geschäftsstraße – in Richtung Etsch. Das Haus Nr. 23, der Palazzo Capuleti, wird als Wohnsitz der Familie Capuleti bezeichnet, in dem sich ein Teil der Geschichte von *Romeo und Julia* zugetragen haben soll, und zwar während der Regierungszeit Bartolomeo I. della Scala (1301 – 04). Die Ereignisse sind historisch nicht belegt, enthalten vermutlich aber einen wahren Kern. Im Hof des mittelalterlichen Gebäudes scharen sich die Besucher um den legendären *Balkon*, wo sich Shakespeares berühmte Szene »in geheimer Nacht« ereignet haben soll. Dies ist der vielleicht bekannteste Ort der Literaturgeschichte, den der Autor der Tragödie selbst jedoch nie gesehen hat. Das stark restaurierte Haus vermittelt nur noch ein verblaßtes Bild jener Jahre am Anfang des 14. Jh.

Öffnungszeiten: Di – So 8 – 19.15 Uhr.
Das Grab der Julia (Tomba di Giulietta), eine schlichte Steintumba, befindet sich im alten Kapuzinerkonvent Via del Pontiere.

Piazza Brà und die Arena ⑤

Die Piazza delle Erbe und die Piazza Brà verbindet Veronas beliebteste und eleganteste Einkaufsstraße, die **Via Mazzini**. Am Nachmittag und am Abend herrscht hier lebhaftes Treiben. In den Schaufenstern der Geschäfte spiegelt sich Veronas Rang als moderne Modestadt, die selbst den Vergleich mit Mailand – in kleinerem Rahmen – nicht zu scheuen braucht. Am Ende der eher engen Straße öffnet sich die Piazza Brà mit dem monumentalen Rund der *Arena*, mit den repräsentativen Gebäuden von *Stadtverwaltung* und *Gran Guardia* – einst Kaserne der venezianischen Garnison – sowie den verwitterten Palazzi am **Listón**, dem ›breiten Streifen‹, Veronas beliebtester Flanier-

Zum Balkon der Julia pilgern Liebende und Neugierige aus aller Welt

meile. Der mit rotem Veroneser Marmor gepflasterte Gehsteig ist allabendlicher Treffpunkt der Einheimischen zu einem Bummel oder nachbarlichen Plausch.

Der Name der weiten, unregelmäßigen Piazza Brà, deren Mitte ein von der Schwesterstadt München gestifteter Marmorbrunnen (die Alpen darstellend) zwischen Bäumen und Grünanlagen einnimmt, leitet sich von ›Braida‹ her. Das deutschstämmige Wort bezeichnete den ›breiten‹ unbebauten Platz zwischen der römischen und der mittelalterlichen Stadtmauer. An der Südseite neben der Gran Guardia ist die *Portone della Brà* erhalten, die ehemals Teil des gedeckten Ganges zwischen dem Castelvecchio und der von Gian Galeazzo Visconti errichteten – nicht erhaltenen – Citadella war.

Das beherrschende Gebäude der Piazza Bra ist die **Arena di Verona**, eines der ältesten Amphitheater Italiens, das den Ruhm der Stadt an der Etsch über ganz Europa verbreitet hat.

»Das Amphitheater ist also das erste bedeutende Monument der alten Zeit, das ich sehe, und so gut erhalten«, schrieb *Goethe* in seiner ›Italienischen Reise‹. »Als ich hineintrat, mehr noch aber, als ich oben auf dem Rande umherging, schien es mir seltsam, etwas Großes und doch eigentlich nichts zu sehen. Auch will es leer nicht gesehen sein, sondern ganz voll von Menschen …«

Die Faszination der Arena entspringt denn auch, wie Goethe richtig erkannte, dem Eindruck, wenn sie mit Menschen gefüllt ist. Die jährlich im Juli und August stattfindenden *Opernfestspiele* in dem berühmtesten Freiluft-Opernhaus der Welt sind gewiß die konkurrenzlosen Höhepunkte im Jahresablauf der Stadt Verona, ein Fest für Augen und Ohren, zugleich ein fröhliches Spektakel, in dem das Volk, d. h. die Zuschauer, eine der Hauptrollen spielt.

Die *Geschichte der Arena* ist ungewöhnlich und wechselhaft. Nach dem Kolosseum von Rom (188 m Länge) und dem Amphitheater von Capua in Kampanien (167 m Länge) ist sie das drittgrößte römische Theater mit einem oval geschlossenen Zuschauerraum. Ihre heutigen Ausmaße betragen 138 m Länge und 109 m Breite; sie bietet Platz für 22 000 bis 25 000 Zuschauer. Erbaut wurde sie wie das Kolosseum im 1. Jh. n. Chr. als Arena für Gladiatorenkämpfe und Tierhetzen.

Die heutige, klassisch gegliederte Fassade mit monumentalen Arkadenbögen

Die Veroneser schätzen die Piazza Brà als Treffpunkt für einen Plausch im Café

diente ursprünglich nur als innere Stützmauer. Eine 30 m hohe, dreigeschossige Außenmauer aus rotem Veroneser Marmor, der aus dem Steinbruch Sant'Ambrogia im Valpolicella stammt, umgab die Arena mit einer 72achsigen *Prunkfassade*. Von ihr sind am nördlichen Rand noch vier Bögen und fünf Stützpfeiler, die sogenannte *Ala*, erhalten. Pfeiler und Bögen wurden ›a secco‹ gemauert, d. h. ohne Verwendung von Mörtel, die Wölbung der die Arena umgebenden Umgänge hingegen besteht aus Bruchsteinen und Zement. Im Jahre 265 n. Chr., während der Regierungszeit des *Kaisers Gallienus*, hat man das Amphitheater, das ursprünglich außerhalb der Stadt lag, in den Stadtmauerring mit eingeschlossen. *Theoderich* ließ als erster das zu seiner Zeit schon beschädigte Monument erneuern. Schwere Zerstörungen erlitt das Bauwerk während mehrerer Erdbeben im 12. und 13. Jh. Außerdem wurde es von den Stadtbewohnern häufig als Steinbruch genutzt.

Im frühen Mittelalter diente es den Bischöfen als *Festung*; die Scaliger wiederum benutzten es als Hinrichtungsstätte. Spektakulär war die Verbrennung von mehr als hundert Bürgern Sirmiones 1278 unter der Herrschaft Alberto della Scalas. Sie gehörten der sog. *Patariner-Bewegung* an, die der Papst ebenso wie

Mächtige Mauern mit eleganten Bögen umgeben das gewaltige Amphitheater aus römischer Zeit

Jeden Sommer das Ziel unzähliger Opernfans – die Festspiele in der Arena

die Katharer der Ketzerei beschuldigte und verfolgen ließ [s. S. 39 f.].

In den folgenden Jahrhunderten war die Arena Bühne für prunkvolle Feste, Hochzeiten, Ritterturniere, auch Stierkämpfe mit abgerichteten Hunden, also ein Ort für Spektakel und Volksbelustigungen. 1569 erneuerten die Venezianer den Zuschauerraum und schufen die bis heute erhaltenen 41 Stufenreihen. Die Balustraden über den Toren zum Spielfeld entstanden 1668. In den Arkaden des Erdgeschosses gab es Werkstätten der Handwerker, und selbst Prostituierte nisteten sich hier ein. Am 10. August 1913 wurde aus Anlaß des 100. Geburtstages von Giuseppe Verdi zum ersten Mal die Oper ›Aida‹ in der Arena von Verona aufgeführt. Damit begann die glanzvollste Zeit in der Geschichte des altehrwürdigen Gebäudes.

Öffnungszeiten: Di – So 8 – 19 Uhr, während der Festspiele 8.15 –15.30 Uhr

Der Innenhof des Castelvecchio, in dem Veronas bedeutendste Kunstsammlung einen angemessenen Platz fand

Gegenüber der Gran Guardia, etwas versteckt an der Ecke zur Via Roma, steht das 1716 erbaute **Teatro Filarmonico**. Im Atrium des Theaters lohnt für den archäologisch Interessierten der Besuch des von dem Veroneser Gelehrten *Scipione Maffei* begründeten **Museo Lapidario Maffeiano** ⑥. Skulpturen, Grab- und Weihereliefs, Altäre, Sarkophage aus der römischen Zeit Veronas bilden die Sammlung dieses ältesten Museums für antike Steinkunst, die bereits Goethe bewunderte.

Öffnungszeiten· Di – So 8 – 13 Uhr (nur nach Anmeldung)

Corso Cavour und Porta Borsari ⑦

Von der Piazza Brà führt die Via Roma direkt zum Castelvecchio. Diese ehemalige Trutzburg der Scaliger liegt unmittelbar an dem antiken *decumanus maximus* und heutigen Corso Cavour, den im Nordosten die Porta Borsari begrenzt, eines der römischen Stadttore, durch das sowohl die Via Gallia als auch die Via Postumia in Verona mündeten. Das Tor mit einer stark verwitterten Doppelbogenfassade, mit Halbsäulen und Rundbogenfenstern stammt aus der Zeit um 80 n. Chr.

Ein weiterer Torbogen überspannte in der Antike den *decumanus maximus* auf der Höhe des Castelvecchio. Dieser elegante, einem Triumphtor gleichende *Gavi-Bogen* wurde vermutlich von *L. Vitruvius Cerdone* für die Familie Gavi im 1. Jh. v. Chr. erbaut. Sein klassischer Formenkanon mit vorgesetzten Säulen, die einen Giebel tragen und mit Nischen, in denen ursprünglich Statuen von vier Mitgliedern der Familie Gavi standen, diente später als Vorbild für die oberitalienische Renaissancearchitektur. 1805 wurde der Bogen von den Franzosen zerstört und erst 1932 in einer Grünanlage neben dem Castelvecchio wieder aufgebaut.

Am Corso Cavour, zwischen der Porta Borsari und dem Castelvecchio, der dann bis zur Porta Nuova **Corso Castelvecchio** heißt, stehen eine Anzahl sehenswerter Paläste. Leider ist der Verkehr hier so stark, daß man sie kaum in Ruhe betrachten kann. Auch ist das Innere dieser Gebäude dem Besucher gewöhnlich verschlossen. *Michele Sanmicheli* schuf auch diese Paläste für begüterte Veroneser Familien.

Nahe der Porta Borsari ist in einem schönen Renaissancepalast des 16. Jh.

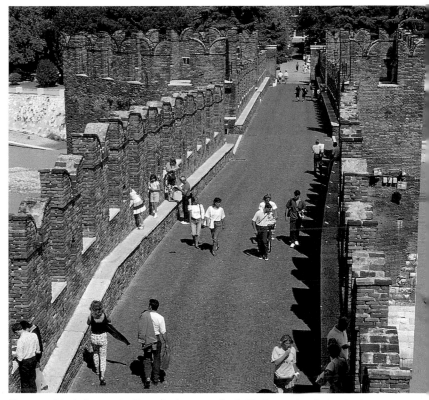

Trutzig und doch elegant: der Ponte Scaligero wurde als Fluchtweg über die Etsch erbaut

das *Museo Civico di Storia Naturale* (Nr. 11) untergebracht.

Öffnungszeiten: Mo–Sa 8–19 Uhr, So 13.30–19 Uhr

Castelvecchio ⑧

Als sich die Scaliger im Herzen der Stadt nicht mehr sicher fühlten, begann Cangrande II. 1354 mit dem Bau eines neuen Palastes am Ufer der Etsch, der 1356 fertiggestellt war. Doch Cangrande entging trotzdem nicht seinem Mörder, dem Bruder Cansignorio, der ihn 1359 tötete. Cansignorio zog nun selbst in die Wehrburg, die er von den besten Künstlern seiner Zeit, unter ihnen der Maler *Altichiero,* ausschmücken ließ. Das Geld für die aufwendige Renovierung des Palastes erpreßte er von den Veroneser Bürgern durch hohe Steuerabgaben.

Die Anlage der Burg mit sechs quadratischen Wehrtürmen und umlaufendem Zinnenkranz in dunkelroter Ziegelbauweise wurde zweigeteilt zu beiden Seiten der Stadtmauer errichtet, welche

an dieser Stelle die Etsch berührte. Zur Stadt hin entstand die eigentliche *Festung* für die Garnison, die den Herrscher vor dem eigenen Volk schützen sollte. Außerhalb der Mauer ließ Cangrande II. seine *Residenz* mit Palast, Türmen und Toren und einer Brücke über die Etsch erbauen. Die Brücke sollte im Notfall als Fluchtweg in die Hügel außerhalb der Stadt dienen. Der Palast war gänzlich von Wasser umgeben und nur über zwei Eingänge mit *Zugbrücken* erreichbar.

Der 120 m lange **Ponte Scaligero** ⑨, den man durch einen mächtigen Torturm betritt, besticht durch seine elegante Architektur ebenso, wie durch die massive Wehrhaftigkeit. Zwei schwere Stützpfeiler mit aufgesetzten Türmen tragen drei verschieden weit gespannte Bögen. Zinnen in Schwalbenschwanzform schmücken die roten Ziegelmauern. Die weißen Streifen der Bögen und Pfeiler bilden einen reizvollen Kontrast zu dem dunklen Mauerwerk. Sie ist ein besonders schönes Beispiel mittelalterlicher Drückenarchitektur. Von ihr und ihnen bietet

Pflasterkünstler eifern den großen Malern der Vergangenheit nach

sich einer der eindrucksvollsten Ausblicke auf den Fluß und die Stadt Verona.

Nach der Vertreibung der Scaliger begann *Gian Galeazzo Visconti* mit dem Bau eines neuen Kastells an der Piazza Brà. Deshalb nannte man die Scaligerburg ›Castelvecchio‹, d. h. ›altes Schloß‹. Venedig benutzte die Anlage als Militärakademie, Kaserne und Arsenal. Im 18. Jh., während der französischen Besatzung, wurde der Palast weitgehend zerstört und verkam zusehends. Auch während der österreichischen Herrschaft wurden ihm weitere Schäden zugefügt. Erst 1923 begann man damit, die Festung und die Reste der Residenz zu restaurieren.

 Der ausgedehnte Gebäudekomplex beherbergt jetzt das **Museo Civico d'Arte**, Veronas bedeutendstes *Kunstmuseum.* An beispielhaften Gemälden – von Stefano da Verona, Antonio Pisano gen. Pisanello, über die Meister der Venezianischen Schule, etwa die Brüder Giovanni

und Gentile Bellini, Paolo Veronese, Jacopo Tintoretto bis zu Giovanni Battista Tiepolo – läßt sich die Entwicklung der Kunst von der höfischen Gotik bis zum Barock nachvollziehen. Zu den besten Werken zählen Gemälde des Mantuaners *Andrea Mantegna*; beachtenswert auch die Arbeiten Gerolamo dai Libris und Giovanni Francesco Carotos, die der Veroneser Malschule angehörten.

Im Erdgeschoß sind Skulpturen des Mittelalters ausgestellt, z. B. eine eindrucksvolle Kreuzigungsgruppe von Enrico di Rigino und ein Sarkophag, der dem Meister Nicolò zugeschrieben wird.

Zentrale Figur des Museums ist die *Reiterstatue des Cangrande*, der man hier unmittelbar gegenübertreten kann. Das geheimnisvolle Lächeln des bedeutendsten Herrschers der della Scala, der wie erstaunt wirkende Blick des Pferdes, die feine, überaus kunstvolle Steinmetzarbeit in den Details (z. B. die Schabracke des Pferdes) veranschaulichen die überragende Kunst des ›Meisters der Scaligergräber‹, der das Standbild schuf.

Bemerkenswert ist die gelungene Raumaufteilung des Museums und die beispielhafte Präsentation der Kunstwerke, die sehr viel Raum haben, sich frei entfalten zu können. Die heutige Anlage des Museums schuf 1958–60 der bekannte Architekt *Carlo Scarpa*.

Öffnungszeiten: Di – So 8 – 19 Uhr

Um den Unterhalt der wertvollen Kunstdenkmäler in Verona zu erhalten, werden in einigen der bedeutendsten **Kirchen** Eintrittsgelder erhoben. Die Öffnungszeiten für diese Gotteshäuser sind genau festgelegt (sie sind auch über Mittag geöffnet), während der Zutritt zu den anderen Kirchen den jeweiligen Pfarreien überlassen ist. Es gibt eine (günstige) Eintrittskarte, die für folgende Kirchen gültig ist: San Zeno, San Procolo, San Lorenzo, Sant'Elena, Sant'Anastasia, San Fermo sowie den Dom mit San Giovanni in Fonte.

San Lorenzo ⑩

Vom Corso Cavour lohnt sich ein Abstecher in die romanische Kirche San Lorenzo (gegenüber dem Palazzo Bevilacqua – die Fassade ist von Häusern umbaut). Der streng strukturierte romanische Bau geht ungefähr auf das Jahr 1117 zurück. Die Kirche ist dreischiffig. Kreuzpfeiler wechseln mit Säulen ab, die

Veronas große Maler

Altichiero da Zevio (*geb. um 1330 in Zevio bei Verona, gest. um 1390*) war ein Schüler des gotischen Meisters Turone und gilt als einer der bedeutendsten Maler des 14. Jh. Seine lebendig erzählten, im Detail naturgetreuen Bildzyklen bestechen durch ihre zarte, erlesene Farbigkeit.

Antonio Pisano gen. **Pisanello** (*geb. vor 1395, gest. nach 1450*) war der Begründer der Medaillenkunst und ein Vertreter der frühen Porträtmalerei. Pisanello stand unter dem Einfluß der lombardischen Gotik, vermochte jedoch den höfischen Stil zu überwinden. Schließlich begründete er eine die Renaissance vorbereitende Stilrichtung.

Liberale da Verona (*geb. ca. 1445 in Verona, gest. zwischen 1529 und 1536*) ist vor allem als Miniaturist berühmt geworden. Vorbild für seine Malerei war die Sieneser Schule.

Domenico Morone (*geb. 1442 in Verona, gest. nach 1517*) wuchs in der Blütezeit der höfischen Gotik heran, versuchte jedoch das Erbe der Gotik unter dem Einfluß der Paduaner Schule Mantegnas sowie Jacopo und Gentile Bellinis zu überwinden.

Francesco Morone (*geb. zwischen 1470 und 1472 in Verona, gest. 1529*) war Schüler seines Vaters Domenico, der ihn im Stil der Paduaner Schule ausbildete. Doch arbeitete er auch unter dem Einfluß der lombardischen Schule. Seine Werke zeichnen sich durch Heiterkeit und gelungene Farbgebung aus.

Giovanni Francesco Caroto (*geb. um 1480 in Verona, gest. 1546*) war ein Schüler Liberale da Veronas und Mantegnas. Beeinflußt wurde er auch von Raffael und Correggio. Das Bild im Castelvecchio ›Knabe mit Zeichnung‹ zeigt die erste Kinderzeichnung der Kunstgeschichte.

Paolo Caliari, **gen. Veronese** (*geb. 1528 in Verona, gest. 1588 in Venedig*) ging früh nach Venedig, wo er seine Meisterwerke schuf. Er verband Elemente der Hochrenaissance mit solchen des Manierismus zu einem klassischen Stil. Das Spätwerk weist bereits auf den Barock voraus. In seinen Gemälden entwickelte er mit reichen Figurenkompositionen und äußerst raffinierten Lichteffekten eine besondere, heitere Stimmung. Die Kompositionen haben festlich inszenierte mythologische und biblische Themen zum Gegenstand.

teilweise antike Kapitelle im korinthischen Stil tragen. Drei Apsiden, deren größte ein *Altarbild* von *Domenico Brusasorci* schmückt, schließen den Altarraum ab. San Lorenzo ist die einzige romanische Emporenbasilika Veronas. Die charakteristischen rot-weißen Streifen aus Ziegelstein und Tuff an Säulen und Pilastern bilden die Schmuckelemente dieses schlichten, in seiner Farbigkeit sehr warm erscheinenden Gotteshauses. Zwei für Italien untypische runde Türme flankieren die Fassade. In ihrem Innern sind Treppen eingebaut, die die Emporen mit dem Kirchenschiff verbinden.

Öffnungszeiten: Mo–Sa 9–18, So 10–18 Uhr

San Zeno Maggiore ⑪

Veronas wertvollster Kirchenbau steht in der Veroneser Neustadt, eingebunden in den venezianischen Wehrmauerring. Das ehemals zugehörige Benediktinerkloster, das im Mittelalter innerhalb der Stadt-

mauern lag, entwickelte sich zu einer der bedeutendsten Abteien der Stadt. Es wurde 1773 säkularisiert und weitgehend zerstört. Von der ausgedehnten Anlage, die im Mittelalter den durchziehenden Kaisern und Heerführern als Herberge diente, ist nur noch der *Kreuzgang* und der massive, aus Backsteinen errichtete *Abteiturm* erhalten.

Die Kirche San Zeno mit ihrem hohen freistehenden Campanile und dem gestreiften Veroneser Mauerwerk gilt als die schönste Basilika der Hochromanik in Oberitalien. Da sie im Laufe der Jahrhunderte kaum verändert wurde, erscheint sie als weitgehend stilreiner Bau des 12. Jh. Eine ältere Kirche wurde während des Erdbebens von 1117 zerstört. Schon ein Jahr nach der Katastrophe begann man mit dem Neubau. Der Glockenturm war 1178 vollendet. Die Basilika ist dem hl. Zeno, Bischof und Patron Veronas geweiht. Er starb 380 und

Klosterturm und Campanile flankieren die Kirche von San Zeno Maggiore

über dem in der Folgezeit die erste Kirche gegründet wurde. Seine schwarze Hautfarbe deutet darauf hin, daß er aus einer afrikanischen Provinz Roms stammte.

Die monumentale **Fassade** der Kirche – rechts von dem etwas zurückgesetzten Campanile und links von dem Abteiturm flankiert – überragt noch das dahinterliegende Dach. Ihre straff gegliederte Vertikale lockert die Zwerggalerie auf, die in Höhe des Tympanons einen horizontalen Akzent setzt. Unter dem Dachgiebel symbolisiert eine große, zwölfstrahlige *Rosette* das Rad der Fortuna. Sie ist ein Werk des Bildhauers *Brioloto* (Anfang des 13. Jh.). Allegorische Figuren versinnbildlichen die Vergänglichkeit des Glücks: Vier Gestalten sind im Fallen bzw. Aufsteigen begriffen, eine sitzt oben gekrönt und in feierlichem Gewand, während die letzte unten nackt auf der Erde liegt. »Ich, das Glück regiere allein die Sterblichen, ich erhebe und stürze, gebe allen Gutes und Böses«, besagt eine Inschrift in lateinischer Sprache in der Nabe des Rades. Eine andere ergänzt: »Ich kleide die Nackten, entkleide die Bekleideten. Wer sich auf mich verläßt, wird ausgelacht.«

Zu den hervorragendsten Werken romanischer Kunst gehört das **Portal**, ein vorgesetzter Säulenbaldachin mit Tympanon und Steinreliefs zu beiden Seiten, dessen Säulen von zwei Löwen getragen werden. Es ist eine Arbeit des *Meisters*

Nicolò (1138), der auch das Portal der Kathedrale von Verona schuf. Das Tympanonrelief zeigt den hl. Zeno als Drachenbezwinger, wie er dem Volk die Standarte Veronas überreicht, eine erstaunlich frühe Darstellung bürgerlicher Souveränität.

Eine besondere Bedeutung erhält die Fassade durch die kunstvollen *Reliefs*, die rings um die Eingangshalle eingelassen sind. Links und rechts des Portals werden Szenen aus dem Alten und dem Neuen Testament erzählt. Die Darstellungen auf der rechten Seite erzählen die Schöpfungsgeschichte von der Erschaffung der Tiere bis zur Feldarbeit Adam und Evas. Sie stammen von der Hand des Meisters Nicolò selbst, während links die Szenen aus dem Leben Christi von der Verkündigung bis zur Kreuzigung sein begabter Schüler Guglielmo arbeitete. Er ordnet seine Figuren zwischen den Bögen einer Säulenhalle an. Beachtenswert ist das unterste Reliefpaar auf der rechten Seite. Man sieht den Gotenkönig *Theoderich auf der Jagd*. Der verfolgte Hirsch lockt ihn bis in die Hölle (rechts der Teufel und die Höllenflammen), ein Hinweis darauf, daß Theoderich Arianer, d. h. in den Augen der Kirche Häretiker war.

Von besonderer Faszination sind die **Bronzetüren** mit 48 Plattenreliefs, die auf Holztüren montiert wurden. Kaum ein Betrachter wird sich ihrer starken Aussagekraft entziehen können. Die Darstellungen stammen aus zwei verschiedenen Epochen: Die älteren werden um 1120 datiert, die jüngeren sind wahrscheinlich aus dem späten 12. Jh. 23 der älteren Platten, die wohl einer früher bestehenden Tür entnommen sind, wurden am linken Türflügel, fünf am rechten angebracht. Die Unterschiede lassen sich relativ leicht erkennen: Bei den älteren Werken scheinen die Figuren im Raum zu schweben. Sie haben noch keine ausgearbeitete Standfläche. Nur die Köpfe treten plastisch aus dem Reliefgrund hervor. Bewegend ist die Lebendigkeit und Aussagekraft dieser altertümlichen Figuren und Szenen, die stilistisch den starren Formenkanon der byzantinischen Kunst sprengen. Die Bildfelder des 12. Jh. sind schon perspektivisch konstruiert. Personen im Hintergrund werden kleiner dargestellt als die im Vordergrund Agierenden. Ein zaghafter Versuch, Raumtiefe zu erzeugen, ist deutlich erkennbar. Im unteren Feld der rechten Tür werden Szenen aus dem Leben des hl. Zeno geschildert; sie stammen offenbar von einem anderen Meister als die vorhergehenden.

Zwischen den Reliefplatten sind Masken, kleine Königsbüsten, Personifikationen der Tugenden und andere Figuren angebracht.

Beeindruckend ist die bildhafte Erzählweise dieser Werke, die der Betrachter wie ein aufgeschlagenes Buch liest. Die Türen sind nur während der Öffnungszeiten der Kirche zu sehen, ansonsten werden sie mit einem Eisentor abgeschirmt.

Das **Innere** von San Zeno betritt man durch das Seitenportal. Imponierend ist jedoch der Blick von den erhöhten Stufen des Hauptportals über den mächtigen, dreischiffigen Raum der Basilika. Man überblickt das langgestreckte Schiff, den erhöhten gotischen Chor, der in drei Apsiden endet, und erkennt die über die ganze Breite reichende Krypta mit den vorgesetzten offenen Arkaden. Im Mittelschiff wechseln Pfeiler mit Säulen ab; über ihren Bögen erheben sich die klaren, monumentalen Wandflächen. Kein Gewölbe, sondern eine kielförmige Holzdecke in Dreipaßform aus dem 14. Jh. schließt den Raum nach oben hin ab.

Die neunschiffige **Krypta** ist ebenso groß wie das Hauptschiff. Ihr Gewölbe wird von 48 Säulen getragen, deren Kapitelle mit kunstvollen Skulpturen geschmückt sind. In der Krypta ruhen die *Gebeine des hl. Zeno* unter einer Altarmensa von 1889. Steigt man die Treppen hinauf, sollte man die Wandfresken aus dem 13./14. Jh. beachten. Über den Bögen der Krypta erhebt sich eine Balustrade, die den Chor zum Mittelschiff hin abschließt und wertvolle Skulpturen aus Veroneser Werkstätten um 1260 trägt (Christus und die Apostel).

Das Hauptwerk des mit Fresken reich

Viel bewunderte Meisterwerke des Mittelalters: die Bronzetüren von San Zeno Maggiore

Gotische Fresken im Inneren von San Zeno Maggiore

dekorierten Kirchenraumes ist das **Altarbild**, eine thronende Madonna von *Andrea Mantegna* (1431–1506). Dieses in prächtigen Farben ausgeführte Triptychon entstand zwischen 1456 und 1459. Obwohl ein Frühwerk des berühmten Malers, besticht es durch den meisterhaften Bildaufbau, die Anordnung der dekorativen Elemente und die illusionistische Malerei, deren Begründer Mantegna war. Der vergoldete, plastische Rahmen mit vier Säulen setzt sich in der gemalten Architektur fort. Die Gestalten sind auf drei Tafeln verteilt, dennoch erscheinen sie räumlich als eine Einheit. Das Thema des Bildes ist eine ›Sacra conversazione‹. Den Mittelpunkt der Komposition bildet die auf einem Thron sitzende Madonna mit dem stehenden Kind, das den linken Arm zärtlich um den Hals der Mutter legt. Eine Gruppe von Engeln umgibt das Paar. Die beiden vordersten, musizierenden Engel scheinen plastisch aus dem Rahmen hinauszutreten. Die Madonna wird von den Heiligen Petrus, Paulus, Johannes d. Evangelisten, Zeno, Benedikt, Laurentius, Gregor und Johannes d. Täufer umgeben. Typisch für Mantegna sind der üppige Dekor – Blumengirlanden ziehen sich über die drei Tafeln – und die Vorliebe für antike Elemente, die in der architektonischen Umrahmung Nieder-

schlag fand. Im Hintergrund erkennt man einen mit Wolken bedeckten Himmel. Mantegna beherrscht nicht nur perfekt die räumliche Gruppierung der Personen, er gibt ihnen auch Plastizität und vermittelt meisterhaft die Illusion des Dreidimensionalen. Bemerkenswert ist, daß der Heiligenschein der Muttergottes als Wiederholung des Radfensters der Fassade erscheint.

San Zeno ist reich ausgestattet mit gut erhaltenen **Fresken**, deren Schöpfer weitgehend unbekannt sind. Das Fresko im rechten Obergaden von 1397 wird dem Kreis um Altichiero zugeschrieben. Es zeigt Heilige, die den Abt Capelli der Gottesmutter anempfehlen. Gotische Fresken befinden sich an der rechten Wand des Chores. Die ›Taufe Christi‹ und die ›Auferweckung des Lazarus‹ stammen aus dem späten 13. Jh. Das beste Werk ist der ›*hl. Georg als Drachentöter*‹, das dem sog. zweiten Meister von San Zeno zugeordnet wird (14. Jh.). Vom ersten Meister von San Zeno stammt die noch sehr statisch wirkende *Schutzmantelmadonna* an der linken Chorwand. Die ›Verkündigung‹ auf dem Triumphbogen wird *Martino da Verona* zugeschrieben (spätes 14. Jh.), ebenso wie die ›Kreuzigung‹ in der Apsis. In der linken Seitenapsis steht die Marmorstatue des hl. Zeno im Bischofsornat (Ende 13. Jh.). Das Volk nennt sie ›San Zeno che ride‹ (den lachenden San Zeno). Wie das lächelnde Standbild des Cangrande della Scala ist sie zu einer Symbolfigur Veronas geworden.

Links der Kirche betritt man den stillen **Kreuzgang**. Die beiden Gänge mit Rundbögen auf Doppelsäulen aus rotem Marmor stammen aus dem Jahr 1123, während die beiden anderen, die Spitzbögen aufweisen, um 1400 entstanden sind. Dort, wo die Arkaden apsisartig in den Binnenhof vortreten, stand früher der Waschbrunnen der Mönche.

Öffnungszeiten: Mo–Sa 9–18, So 13–18 Uhr

San Bernardino ⑫

Ein Besuch der Kirche und des Klosters San Bernardino, die nicht weit von San Zeno (Via San Bernardino/Stradone Antonio Prevolo) stehen, lohnt einen Abstecher. Zwei Jahre nach der Heiligsprechung des *Bernhard von Siena*, der öfter in Verona gepredigt hatte, begannen die Franziskaner 1452 mit dem Bau der dem Heiligen geweihten Kirche, die 1466 beendet wurde. Man betritt zunächst einen weiten Kreuzgang, an dessen Stirnseite die hohe Fassade der Kirche mit einem Renaissanceportal aufragt. Der große, einschiffige Bau repräsentiert das typische schlichte Gotteshaus eines Bettelordens. Zusätzlichen Schmuck erhielt es je-

doch durch mehrere Kapellen, die zwischen 1486 und 1522 an der rechten Langhauswand angebaut wurden. Das Langhaus selbst ragt hoch auf und wird von einem offenen Sparrendach aus Holz bekrönt.

Die **Kapellen**: Die erste Kapelle stattete Nicolò Giolfino (ca. 1512–1522) mit einem reichen Freskenschmuck aus, der Szenen aus dem Leben des hl. Franziskus präsentiert. In der zweiten Kapelle dominiert ein Altarbild von Francesco Bonsignori (1488). Besonders kostbar ist die *fünfte Kapelle*: Die Familie Avanzi ließ Gemälde berühmter Veroneser Renaissancemaler in die Wandtäfelung einfügen. Bemerkenswert sind vor allem die ›Auferweckung des Lazarus‹ an der linken Wand, ein Werk *Antonio Badiles*, sowie die ›Kreuzigung‹ von *Francesco Morone*. Die übrigen Bilder sind Kopien. Die Originale befinden sich im Castelvecchio. Auch wenn diese Werke von Giolfino, Caroto und Veronese nicht mehr im Original vorhanden sind, besticht diese Kapelle durch ihre reiche, für die Veroneser Renaissance beispielhafte Ausstattung.

Berühmt ist die **Cappella Pellegrini** rechts vor dem Presbyterium, ein Meisterwerk *Michele Sanmichelis*, das 1529 im Stil der römischen Hochrenaissance der Kirche angefügt wurde. Man spürt den Einfluß Bramantes und Raffaels angesichts der hohen Kuppel, die durch Fensteröffnungen beleuchtet wird und

Der stille Kreuzgang des Klosters San Bernardino

Typische Elemente der mittelalterlichen Kirchen Veronas waren Tuffstein und Ziegel: Die Fassade von San Fermo

durch die feine Ornamentik besticht. Der Grundriß der Kapelle ist fast eine Kopie des Pantheons in Rom.

Die gewaltige, an der gegenüberliegenden Langhauswand angebrachte *Orgel* von 1481 trägt an den Türflügeln Malereien von Domenico Morone. Das *Hochaltarbild* ist eine Arbeit *Francecsco Benaglios* aus dem Jahre 1463. Es ist eine Nachahmung von Mantegnas Triptychon in San Zeno, erreicht jedoch nicht dessen herausragende Qualität.

Im **Kloster** ist der ehemalige *Bibliothekssaal* – die *Sala Morone* – sehenswert. (Man muß den Pförtner um den Schlüssel bitten.) Domenico Morone und sein Sohn Francesco dekorierten diesen Saal mit Fresken von Heiligen und Gelehrten des Franziskanerordens. An der Stirnwand sieht man die thronende Muttergottes mit Engeln. Vor ihr knien der Stifter und seine Gemahlin, die von den Heiligen Franziskus und Clara der Madonna anempfohlen werden. Von links nähern sich ihnen fünf Franziskaner, die als Hinweis auf ihr grausames Martyrium in Marokko mit Messern im Kopf erscheinen. Rechts präsentieren sich weitere Heilige: Antonius von Padua, Bonaventura, Bernhard von Siena und Ludwig von Toulouse. Sehr schön ist der in zarten Farben gehaltene Hintergrund mit einer Ansicht von Malcesine, dem Gardasee und den Lessiner Bergen.

San Fermo Maggiore ⑬

An der Stelle, wo die beiden – übrigens einzigen – Märtyrer Veronas, Fermo und Rustico, 361 den Tod fanden, bauten Benediktinermönche eine große Doppelkirche San Fermo Maggiore. Der Altar mit den Reliquien der Heiligen, den eine ältere Kirche umgab, sollte nicht verändert werden. Da das Niveau des Platzes sich durch Überschwemmungen der Etsch gesenkt hatte, mußte über dem unteren, in den Boden abgesunkenen Kirchenschiff ein weiteres errichtet werden. Der Bau dauerte von 1065-1138 und wurde, nachdem 1260 Franziskaner die Kirche und das Kloster übernommen hatten, verändert und erweitert.

Die ursprünglich dreischiffige romanische Kirche wurde nach franziskanischem Muster in eine einschiffige Hallenkirche umgewandelt, die durch ihre helle Weite besticht. Die zweifarbige, romanisch-gotische Fassade entspricht in ihrer harmonischen Gliederung durch hohe Lanzettfenster und Blendbögen sowie dem von zwei Rundfenstern flankierten Triforium und dem repräsentativen Portal durchaus dem gängigen Vorbild Veroneser Kirchenfassaden dieser Zeit. Zwei Bögen unterbrechen die Symmetrie der Westfront. Unter dem linken ist das *Wandgrab* von *Aventino Fracastoro* (gest. 1368), einem Leibarzt der Scaliger, ausgestellt.

Verblüffend wirkt die Architektur des Chorabschlusses mit dem angebauten *Campanile*, die in ihrer Art für Verona beispiellos ist. Während die Seitenapsiden noch der Romanik angehören, strebt die polygonale Mittelapsis im Stil der Gotik turmartig in die Höhe. Sie ist mit Halbsäulen und Lisenen gegliedert und endet oben in dem filigranen Werk vom hell gegen die dunkle Backsteinmauer abgesetzten Dreiecksgiebeln. Ein ornamentaler Kreuzbogenfries und hohe Fialen aus leuchtendem Tuffstein setzen zusätzliche dekorative Akzente. Den kräftigen Glockenturm mit kegelförmigem Dach aus dem 13. Jh. zieren dreibögige Säulenfenster. Die Franziskaner verlängerten die ursprünglich dreischiffige Basilika der Benediktiner und schufen einen weiten Saalraum, der ihren Vorstellungen und Ansprüchen an eine Predigerkirche entsprach. Die Chorkapellen begrenzen das Schiff, dessen schöne, kielförmige Holzdecke besondere Beachtung verdient.

Die Kirche ist reich an gotischen

Fresken des 14. und 15. Jh. und an hervorragenden Werken der Bildhauerkunst. Von besonderem künstlerischem Wert sind: das Fresko einer Kreuzigungsgruppe in der Lünette über dem Hauptportal, das Turone zugeschrieben wird, die Engel mit Spruchbändern an der rechten Wand – vermutlich ein Werk Stefano da Veronas – sowie eine Gottesmutter mit Heiligen von Giovanni Francesco Caroto, links in der im 15. Jh. angebauten *Marienkapelle*.

Das wertvollste Fresko ist die *Verkündigung* von *Pisanello*. Es befindet sich über dem *Grabmal des Nicolò Rangoni di Brenzone* links vom Eingang. Dieses früheste erhaltene Werk Pisanellos fasziniert vor allem aufgrund der lebhaften Darstellung des Engels. Während sein feines Antlitz die Ergriffenheit des Sendboten zum Ausdruck bringt, scheinen die großen Flügel des Herbeieilenden noch wie im Flug zu beben. Das Grabmal ist eine Arbeit des Florentiners *Nanni di Bartolo* (1424 – 26). Vorne öffnen zwei Putten einen schweren Baldachin. Über dem Sarkophag erscheint der aus dem Grab auferstandene Christus. Zu seinen Füßen schlafen in bewegten Posen die Grabwächter. Der Grabmal und Fresko umschließende Rahmen fügt die beiden Werke zu einer künstlerischen Einheit zusammen.

Die Fresken des **Presbyteriums**, die aus der ersten Hälfte des 14. Jh. stammen, sind gute Beispiele des frühen gotischen Malstils in Verona. Es fällt auf, daß die Figuren statt der üblichen idealisierten jetzt individualisierte Gesichter haben. Auf die zukünftige Entwicklung weisen vor allem die beiden Porträts der Stifter hin: Links erscheint der kniende Prior des Franziskanerklosters, Daniele Gusmerio, in dessen Amtszeit die Kirche umgebaut wurde, und rechts der Graf Castelbarco, der das Kloster mit Spenden unterstützte. Er trägt ein Modell der Kirche in den Händen. Sehr schön sind auch die Fresken mit der ›Krönung Mariens‹ und der ›Anbetung der Könige‹. Die Künstler dieser Werke sind unbekannt.

In der *linken Chorkapelle* beachte man das Altarbild, welches den hl. Antonius zwischen den Heiligen Augustinus und Nikolaus zeigt, ein Spätwerk von *Liberale da Verona*. Nebenan befindet sich die Kapelle der Familie della Torre mit einem prachtvollen Grabmal aus Marmor und Bronze. Es wurde um 1510 von dem Paduaner Briosco, genannt *Il Riccio*, für den Natur-, Geschichts-, Gelehrten-, della

Torre und seinen Sohn Marc'Antonio geschaffen.

Die **Unterkirche** ist die älteste romanische Kirche Veronas. Den dreischiffigen Chor, im Wechsel von kreuzförmigen und quadratischen Säulen getragen, schließen drei Apsiden ab. Der Grundriß geht auf die frühe benediktinische Zeit zurück. In das Mitteljoch wurde später beim Bau der Oberkirche aus statischen Gründen eine weitere Reihe von schlanken Stützen eingezogen, so daß der Eindruck eines Säulenwaldes von würdevoller Strenge entstand. Auffallend sind die Fresken an den Wänden und Pfeilern, die die Franziskaner im 13./14. Jahrhundert anbringen ließen, sowie das eindrucksvolle Kruzifix über dem Altar.

Öffnungszeiten: Mo – Sa 9 – 18, So 13 – 18 Uhr

Sant'Anastasia ⑭

Von der Piazza delle Erbe führen schmale, enge Gassen in die Altstadt Veronas. Dort, wo in römischer Zeit die Via Postumia auf die Etsch stieß, erhebt sich unvermittelt an einer kleinen Piazzetta zwischen den sich dicht aneinanderreihenden Häusern die Kirche Sant'Anastasia. Dieser gotische Kirchenbau – der größte in Verona – gehörte zu einem Dominikanerorden und wurde zu Ehren des hl. Pietro Martire errichtet. Der Name Sant'Anastasia geht auf ein früheres, bescheidenes Gotteshaus zurück, das dieser Heiligen geweiht war. Der schlichte Backsteinbau mit einem hohen Campanile entstand zwischen 1290 und dem späten 15. Jh.

Für die **Fassade** war eigentlich eine Marmorverkleidung vorgesehen, die nicht ausgeführt wurde. Nur das feierliche *Doppelportal* mit nach innen abgeschrägtem Gewände wurde fertiggestellt. Eine gedrehte Säule mit einer *Figur des hl. Dominikus* teilt das Portal. Der rechte Pfeiler ist mit einem Flachrelief bedeckt, auf dem die Geschichte des Märtyrers San Pietro erzählt wird. Die Reliefs auf dem Türsturz stellen Szenen des Neuen Testaments dar.

Bemerkenswert ist der rückwärtige Teil der Kirche, der am besten vom gegenüberliegenden Etschufer aus zu sehen ist. Der mit anmutigen Lisenen und kleinen Bögen geschmückte *Glockenturm* überragt ein Ensemble von sechs polygonalen *Chorkapellen*, die sich an das weit ausladende Querschiff lehnen.

Das **Innere** ist eine typische dreischiffige Pfeilerbasilika mit hohem Kreuz rippengewölbe. Mächtige Rundpfeiler aus rotem Marmor tragen die Mittelschiffsarkaden. Hölzerne Zugbalken wurden zur Unterstützung der Statik vertikal eingebaut.

Der Innenraum ist außerordentlich reich an Farben sowie an plastischen und architektonischen Elementen; sehr dekorativ der weiß-blau-rote Marmorfußboden im Dreisaßmuster, eine Arbeit von Pietro da Forlezza (1462). Das Gewölbe ist mit lebhaften floralen Ornamenten bemalt. Da die Kirche nur sehr schmale Fenster hat, ist das Schiff in mystisches Halbdunkel gehüllt. Um die Hauptwerke gut sehen zu können, sollte man den Kustoden darum bitten, die Beleuchtung anzuschalten. Wertvolle Kunstwerke – *Fresken* und *Tafelbilder* von *Caroto, Liberale da Verona, Francesco Morone* u. a. – sowie herausragende *Grabmonumente* schmücken das Langhaus und die Seitenkapellen der Kirche. Vor dem ersten Pfeiler eines jeden Seitenschiffes fallen die *Weihwasserbecken* auf, die von den berühmten ›due gobbi‹, den Buckligen, getragen werden. Die rechte Figur entstand 1591, die linke 1500. Sie wird *Gabriele de Cagliari*, dem Vater von Paolo Veronese, zugeschrieben.

Die bedeutendsten Kunstwerke der Kirche befinden sich in den fünf Chorkapellen im Querschiff. Sie stammen aus der Zeit der Scaligerherrschaft und repräsentieren die ›höfische Gotik‹, die sich damals in Verona entwickelte und deren wichtigste Vertreter *Turone, Altichiero* und *Pisanello* waren.

Die **Cappella Cavalli**: Die erste Kapelle des rechten Querschiffes umschließt das Grab von Federico Cavalli (ca. 1390) mit einer Freskomalerei von *Martino da Verona* in der Lünette.

An der oberen Seitenwand der Kapelle – von dem Grabmal teilweise verdeckt – sieht man ein großartiges *Votivfresko* des Veroneser Malers *Altichiero Altichieri*. Es stellt kniende Ritter aus dem Geschlecht der Cavalli dar, die von den Heiligen Georg, Martin und Jakob der Muttergottes empfohlen werden. Den Hintergrund nehmen phantasievoll gestaltete gotische Gebäude ein, die reich mit Loggien, Spitzbögen und Fialen geschmückt sind. Das Bild entstand auf dem Höhepunkt von Altichieros Schaffen (ca. 1390). In Ausdruck und Bewegung vermittelt es das feine Malempfinden des Meisters, dessen Arbeiten von Giotto beeinflußt waren und doch weicher und realistischer

im Ausdruck erscheinen. Das Fresko der Gottesmutter darunter stammt aus der 2. Hälfte des 14. Jh.

Die **Cappella Pellegrini** daneben birgt das Grabmal des Tommaso Pellegrini (1392); in der Lünette ein Fresko des Altichiero-Schülers *Martino da Verona*. Gegenüber erhebt sich das Grabmonument der Familie Bevilacqua, dem Altichiero selbst ein Fresko gemalt hat. Bemerkenswert in dieser Kapelle sind die 24 *Terrakottareliefs* aus der Zeit von 1430 – 35. Sie zeigen Szenen aus dem Neuen Testament. Stilistisch sind sie schon der Frührenaissance verpflichtet.

Das berühmteste und kostbarste Werk der Kirche Sant'Anastasia befindet sich außen über dem Eingangsbogen dieser Kapelle: Das Fresko *Aufbruch des hl. Georg zum Kampf mit dem Drachen* von Antonio Pisano, gen. *Pisanello*.

Es entstand zwischen 1433 und 1438 und gilt als Höhepunkt der gotischen Malerei in Oberitalien. Man sieht den heiligen Georg, der gerade dabei ist, sein Pferd zu besteigen, um in den Kampf gegen den Drachen zu reiten. Rechts die Prinzessin, in kostbare Gewänder gekleidet, die sich mit großem Ernst von dem Ritter verabschiedet. Dazwischen steht in eigenartig verkürzter Perspektive das Pferd, mit dem Hinterteil zum Betrachter. Szenen aus dem Ritterleben, phantastische Landschaften und imaginäre Architekturen füllen den Hintergrund, daneben auch symbolische Gestalten wie etwa die Gehenkten. Jenseits des Flusses erkennt man den Drachen inmitten der Skelette seiner Opfer. Traditionellerweise wird Georg im Kampf mit dem Drachen dargestellt. Pisanello wählte jedoch einen anderen Moment für seine ungewöhnliche Darstellung. Georg nimmt Abschied von der als Opfer auserkorenen Prinzessin, die er vor dem Drachen retten wird.

Den **Hauptchor** dominiert die Reiterstatue über dem Grabmal des letzten – erfolglosen – Feldherren der Scaliger, *Condottiere Cortesia Serego*. Es ist ein Werk *Nanni di Bartolos*, eines Schülers von Donatello. Der Condottiere erscheint in prunkvoller Rüstung hinter einem monumentalen Vorhang, den zwei Knappen halten. Die Szene wirkt übertrieben theatralisch, wird jedoch durch die Blattrankenornamente und Fresken rund um die Reiterfigur aufgelockert. Das ›Jüngste Gericht‹ gegenüber ist ein Werk *Turones*, eines der ersten Vertreter des ›höfischen Stiles‹ in der Veroneser Malerei.

Pisanellos Meisterwerk »Aufbruch des hl. Georg zum Kampf mit dem Drachen« in der Kirche Sant' Anastasia

Im linken Seitenschiff verdient die *Cappella del Rosario* mit einem Altarbild der Madonna aus dem 13. Jh. Beachtung. Das Bild ist von einer prunkvollen barocken Ausstattung umgeben.

Tritt man aus der Kirche hinaus auf die Piazzetta, fällt rechts über dem Torbogen, der früher Eingang zum Kloster war, das Grabmal für *Guglielmo di Castelbarco* (gest. 1320) auf, eine hervorragende Arbeit Enrico di Riginos.

Öffnungszeiten: Mo – Sa 9 – 18, So 13 – 18 Uhr

Duomo Santa Maria Matricolare ⑮

Veronas Dom erhebt sich am Rande eines kleinen Platzes unweit der Stelle, wo die Etsch einen großen Bogen macht, um dann weiter nach Süden zu fließen. Der heutige Bau wurde zwischen 1139 und 1187 errichtet, nachdem die Vorgängerkirche aus dem 10. Jh. dem Erdbeben von 1117 zum Opfer gefallen war. **Das Äußere** weist noch weitgehend romanische Stilelemente auf, während das Innere zwischen 1444 und 1520 im Stil der Gotik umgestaltet wurde. Den *Glockenturm* trägt ein romanischer Sockel; sein Mittelteil entstand im 16. Jh. nach Entwürfen von *Sanmicheli*, während der obere Teil erst 1926 fertiggestellt wurde. Die Fassade, das rechte Seitenportal und der gewaltige Chorabschluß der Kirche sind in ihrer harmonischen Gliederung durch horizontale Schichten aus Backstein und Tuff klassische Beispiele der Veroneser Romanik.

Greifen tragen den Baldachin vor der Fassade des Domes

Die **Fassade** erscheint als ein eindrucksvolles, perfekt gestaltetes ›Compositum‹ aus romanischen und gotischen Formen. Die hervorragende *Portalanlage* mit einem doppelgeschossigen Baldachin ruht auf gedrehten Säulen, die zwei Fabeltiere (Greife) tragen. Sie ist ein Spätwerk des Bildhauers *Nicolò* (1138), der auch den Portikus von San Zeno gestaltete. Eine für das Mittelalter seltene Inschrift bezeugt die Autorenschaft des Künstlers. Unter dem Baldachinvorbau bestechen die in das abgestufte Gewände eingestellten romanischen Plastiken, vor allem die Jagdszenen und Tiere sowie die Gestalten der Propheten, die als früheste Beispiele mittelalterlicher Gewändeskulpturen eine besondere Bedeutung haben. An den vordersten Pfeilern erkennt man zwei ausdrucksstarke Kriegerfiguren. Es sollen die *Paladine Karls d. Gr.* – Roland (links) und Olivier (rechts) – sein. Im farbig gefaßten Tympanon thront die Gottesmutter mit dem Kind zwischen anbetenden Hirten und den Heiligen Drei Königen, während Engel die Geburt Christi verkünden. Zu beiden Seiten der Vorhalle wird die Fassade von großen Fenstern durchbrochen.

Hohe, weit gespannte Arkaden überwölben den dreischiffigen **Innenraum**. Sie ruhen auf mit dekorativen Blattkapitellen und Blattkonsolen geschmückten Bündelpfeilern aus rotem Marmor. Die mächtigen Bögen laufen in einem Kreuzrippengewölbe aus, das den hallenartigen Raum in der Höhe schwungvoll abschließt.

Die drei ersten **Kapellen** rechts und links nach dem Hauptportal sind mit spielerisch gestalteten Scheinarchitekturen dekoriert, die der Architekt *Giovanni Maria Falconetto* 1503 schuf.

Das bedeutendste Kunstwerk des Domes befindet sich in der **1. Kapelle links** vom Eingang. Das Altarblatt zeigt eine ›Himmelfahrt Mariens‹ von *Tizian*, die der Meister 1530–35 malte. Es ist das einzige Werk des großen Venezianers in Verona. Maria gleitet über die Wolken himmelwärts und blickt noch einmal hinab zu den Aposteln, die in Verwunderung und Staunen der Entschwebenden nachblicken. Zwei der Apostel schauen verblüfft in den leeren Sarg. Die rechte vordere Figur, die betend niedergekniet ist, wird als ein Porträt des Architekten *Michele Sanmicheli* angesehen. Meisterhaft stimmte Tizian die matten, sanften Farben aufeinander ab. Eine besondere Stille und Andacht wirkt in diesem Gemälde. Die dramatische Überhöhung und Pathe-

Ein Meisterwerk des großen Tizian im Dom: ›Mariä Himmelfahrt‹

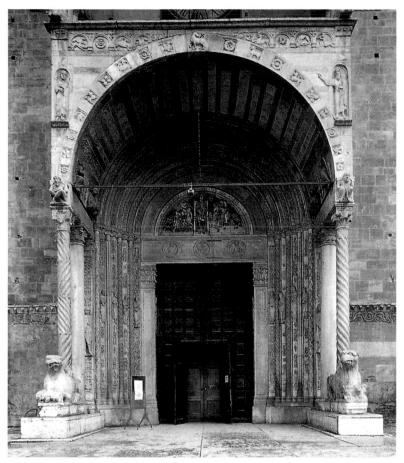

Meister Nicolò schuf 1138 den figurenreichen Portikus des Domes Santa Maria Maggiore

tik der berühmten ›Assunta‹ in der Frari-Kirche von Venedig ist hier einer vereinfachten, verinnerlichten Bildsprache gewichen.

Ein Hauptwerk des Veroneser Malers *Liberale da Verona* ist in der **2. Seitenkapelle rechts** vom Eingang zu sehen. Die ›*Anbetung der Könige*‹ entstand Ende des 15. Jh. Sie besticht durch die Fülle der noch im kleinsten Detail ausdrucksvollen Porträts (Liberale war als Miniaturmaler in Siena tätig), gleichzeitig aber auch durch den phantastischen Landschaftshintergrund, der an Dürer denken läßt. Bemerkenswert sind auch die lustigen Tierdarstellungen im Vordergrund und die Vielzahl von Engelsköpfen, die sich hinter der Heiligen Familie auftürmen. Die Anmut und der Formenreichtum der höfischen Gotik erreichen mit diesem Werk einen Höhepunkt.

Am Ende des rechten Seitenschiffes fällt in der **Cappella Mazzanti** das *Grabmal der hl. Agatha* (1353) auf. Die mit qualitätvoller Steinmetzarbeit von Domenico da Luge gerahmte Kapelle umschließt eine Tomba, die an die der Scaliger erinnert. An die Stelle der Reiterstatue tritt hier die Darstellung des Martyriums der hl. Agatha. Es handelt sich allerdings bei der Darstellung um die Marter der hl. Agatha von Catania, während im Sarkophag 1353 die Gebeine der hl. Agatha von Verona aufgefunden wurden. Die Chorschranken des Presbyteriums im schlichten klassischen Stil sind ein Werk *Michele Sanmichelis* (1534). Die Apsis ist mit Fresken der Renaissance ausgestattet, die Francesco Torbido 1534 nach Entwürfen von Giulio Romano schuf.

Vom linken Seitenschiff aus erreicht

man den weitläufigen **Kreuzgang** des Domes. Bevor man ihn betritt, passiert man einen Gang, der noch einen Teil des Mosaikfußbodens und eine Säule der alten Kirche des 5. Jh. bewahrt. Der Kreuzgang mit Doppelsäulen aus rotem Marmor stammt aus dem 12. Jh., der Erbauungszeit des Domes.

Links neben den Chorschranken des Domes führt eine Tür zum **Baptisterium** San Giovanni in Fonte, 1123 – 35 erbaut. Man betritt einen dreischiffigen Raum mit einem ungewöhnlich breiten Mittelschiff. Romanische und gotische Freskenfragmente bedecken die Wände. Ein Meisterwerk ist das *Taufbecken* aus der Zeit um 1200, das aus einem einzigen roten Marmorblock gemeißelt wurde. *Reliefs* mit Darstellungen aus dem Leben Jesu bedecken die Wände des Oktogons. Sie gehören zu den wertvollsten Zeugnissen romanischer Bildhauerkunst in Oberitalien. Antike Tradition, byzantinische Einflüsse und die expressive, aus dem Mittelalter kommende Formensprache der Romanik verbinden sich in diesen Reliefs zu einer großartigen Stilsynthese. Die verschiedenen Szenen aus dem Leben Christi – von der Verkündigung bis zur Taufe – werden auf Grund ihrer unterschiedlichen Ausarbeitung mehreren Meistern zugeschrieben.

Öffnungszeiten: Mo – Sa 9.30 – 18, So 13.30 – 18 Uhr

Rechts vom Hauptportal des Domes befindet sich die Kapitularbibliothek **Biblioteca Capitulare**, die – schon im 5. Jh. gegründet – eine der ältesten der Welt ist. Sie birgt einen kostbaren Schatz von Pergamenten, Codices, Gold- und Silberarbeiten. Entstanden ist sie als Skriptorium der ›Schola sacerdotum‹ und birgt daher vor allem wertvolle mittelalterliche Handschriften und Inkunabeln (z. B. den Codex Iustinianus). Einlaß in die Bibliothek finden jedoch nur angemeldete Studenten; die Sammlung ist der Öffentlichkeit nicht zugänglich, doch finden häufig Ausstellungen aus den Bibliotheksbeständen statt.

Über den Ponte Pietra zum linken Etschufer

Geht man vom Dom vorbei an dem anschließenden Bischofspalast Richtung Etsch, stößt man auf den Ponte Pietra, die einzige aus römischer Zeit erhaltene Brücke. Sie überquert mit fünf Bögen unterschiedlicher Spannweite die Etsch. Allerdings stammen nur die beiden ersten Bögen am linken Ufer noch aus der römischen Epoche. Sie sind aus Naturstein, während die folgenden im 16. Jh. aus Ziegelstein erneuert wurden. Den letzten Bogen mit dem Wachtturm am rechten Ufer hatten die Scaliger im 13. Jh. angefügt. Im Zweiten Weltkrieg wurde die Brücke gänzlich zerstört, jedoch ebenso wie die Brücke der Scaliger mit dem alten Baumaterial in gleicher Form wiederaufgebaut.

Von der Brücke hat man einen besonders schönen Blick auf das linke Etschufer mit dem Römischen Theater und der malerischen Kulisse des *Colle di San Pietro.* Dieser Stadtteil ist weniger bekannt und sehr viel ruhiger als die Straßen rings um die Piazza delle Erbe und die Arena. Auch im Mittelalter war die Siedlung links der Etsch nur ein Randgebiet, obwohl die Scaliger sie durch den Bau eines neuen Mauerrings in das alte Stadtgebiet miteinbezogen hatten und bedeutende Klöster und Kirchen gebaut worden waren. Die Kirchen bergen einen großen Reichtum an Kunstwerken der Renaissance und der Veroneser Malschule des 15. Jh. Für diese beispielhafte Kunstmeile entlang der Etsch entwickelte sich daher der Begriff ›Pantheon der Veroneser Malerei‹. Ein Abstecher in diesen Stadtteil lohnt sich also nicht nur des Römischen Theaters wegen, sondern auch, um die eine oder andere Kirche zu besichtigen, zugleich aber, um auch den unvergleichlichen Ausblick vom Colle di San Pietro zu genießen.

Teatro Romano ⑯

Das Römische Theater schmiegt sich an den Hügel, den einst ein antiker Tempel krönte. Es ist älter als die Arena; es wurde schon um die Zeitenwende für die Aufführung von Dramen errichtet. Offenbar fanden in Verona Schauspiel und Literatur ein ebenso großes Interesse wie Gladiatorenkämpfe und Tierhetzen. Was man heute noch sieht, ist allerdings nur ein Bruchteil des ursprünglichen Theaters, das mit einer 152 m langen, statuengeschmückten Frontmauer am Etschufer zwischen Ponte Pietra und dem verschwundenen Ponte Postumia abschloß. Zweigeschossige Galerien rahmten die Tribüne, doch Erdbeben, Hochwasser und Erdrutsche zerstörten nach und nach die Anlage. Im Mittelalter wurde das Areal überbaut, und die Reste des Theaters dienten als Steinbruch. Erst 1834 be-

Das römische Theater ist nur noch ein Fragment der riesigen antiken Anlage

gann man mit den Ausgrabungen. Die Römer hatten den weichen Tuffstein als Baumaterial verwendet, deshalb mußten die erhaltenen Stufen nach und nach mit Marmor ausgebessert werden.

Als einzige Reste der mittelalterlichen Überbauung blieben die Kirche *SS. Siro e Libera* aus dem 10. Jh. mit einem schönen Portal (14. Jh.) und einer dekorativen Marmortreppe (17. Jh.), sowie das Kloster *S. Girolamo* erhalten, dessen wuchtige Mauern das Theater oben abschließen. Es beherbergt heute das *Museo Archeologico*, in dem u. a. Mosaiken, Statuen, ein Bronzekopf aus der Zeit des Augustus, eine weibliche Sitzfigur, die römische Kopie eines griechischen Originals, ausgestellt sind. Das Museum kann mit einem Aufzug erreicht werden.

Das Theater dient zwischen Juli und September als Freilichtbühne für Schauspiel-, Musik- und Tanzaufführungen.

Öffnungszeiten: Di – So 8 – 13 Uhr

TOP TIP Eine Treppe links vom Römischen Theater führt hinauf auf den **Hügel von San Pietro**. Dieser Anstieg mit dem reizvollen Wechselspiel der Ausblicke findet seinen Höhepunkt im grandiosen Panorama vom Gipfel aus. Kirchen, Türme und Brücken des alten Verona fügen sich zu einem beeindruckenden Stadtbild.

Das Gebäude, welches den Hügel beherrscht, ist ein Kasernenbau der Österreicher von 1854. Einst soll hier – nach der römischen Tempelanlage – die sagenumwobene *Burg des Theoderich* gestanden haben, in der auch der fränkische König Pippin residierte. Später verlor die Burg an Bedeutung und geriet in Vergessenheit. Erst die Visconti bauten sie zu einem wichtigen strategischen Sitz aus. 1793 wurde die stark befestigte mittelalterliche Anlage durch die Truppen Napoleons endgültig zerstört.

San Giorgio in Braida ⑱

Geht man vom Römischen Theater flußaufwärts, vorbei an der Kirche **Santo Stefano** ⑰, die zu den ältesten Veronas gehört und unter den Langobarden Bischofssitz war, erreicht man die mit einer hohen Kuppel überwölbte Kirche San Giorgio in Braida, auch San Giorgio Maggiore genannt. Der Turm, der die Kirche flankiert, stammt noch aus dem 11. Jh., als hier ein Benediktinerkloster gegründet worden war. Später übernahmen Augustiner das Kloster und führten es zu großer wirtschaftlicher Blüte. 1477 wurde die heutige Kirche gebaut, nachdem das Kloster der Kongregation San Giorgio in Alga in Venedig übertragen worden war. Der römische Architekt Michele

Goethe pries San Giorgio in Braida als eine reich ausgestattete Pinakothek oberitalienischer Meister

geht auf *Michele Sanmicheli* zurück. Die einfache, harmonisch gegliederte Fassade ist aus weißem Marmor. Obwohl im 17. Jh. entstanden, zeigt sie noch starke Elemente der Renaissance; sie stimmt auf gelungene Weise mit dem benachbarten Stadttor San Giorgio von 1525 überein.

Der schlichte, einschiffige **Innenraum** wurde von dem Venezianer *Antonio Rizzo* entworfen und zwischen 1536 und 1543 vollendet. Klarheit der Formen und ein vorbildliches Gleichgewicht der Raumgestaltung zeichnen den Bau aus. Das Licht verteilt sich im wesentlichen durch die Fensteröffnungen der Kuppel. Es reicht allerdings nicht aus, um die zahlreichen bedeutenden *Gemälde* der Kapellen zu beleuchten, so daß man den Kustoden bitten sollte, die künstliche Beleuchtung einzuschalten. *Goethe* pries bei seinem Besuch 1786 die »Galerie von guten Gemälden« in San Giorgio in Braida, eine wahre »Pinakothek« oberitalienischer Malerei des 16. Jh. Nicht nur Veroneser Künstler, sondern auch die beiden Venezianer Jacopo und Domenico *Tintoretto* oder die Brescianer *Romanino* und *Moretto* sind hier vertreten.

Das Hauptwerk ist das ›Martyrium des heiligen Georg‹ von *Paolo Veronese* (1566) am **Hochaltar**, welches der Maler während eines kurzen Aufenthaltes in seiner Geburtsstadt schuf. Er hatte einige Jahre zuvor Verona verlassen, um in der Kunstmetropole Venedig zu arbeiten. Das Bild besticht durch seine meisterliche Komposition, vor allem aber durch die geniale Lichtgestaltung.

Die das Presbyterium flankierende Verkündigungsgruppe malte *Giovanni Caroto*. An der rechten Wand sieht man eine ›Brotvermehrung‹ von *Paolo Farinati*, gegenüber die ›Mannalese‹ von *Felice Brusasorci*.

Von den vielen qualitätvollen Werken der Kirche seien hervorgehoben: über dem Portal eine *Jacopo Tintoretto* zugeschriebene ›Taufe Christi‹; in der dritten Seitenkapelle rechts das ›Pfingstwunder‹ von *Domenico Tintoretto*, in der vierten Kapelle ein Gemälde von *Felice Brusasorci*, eine überaus feinfühlige ›Maria mit drei Engeln‹. In der ersten Seitenkapelle links verdient ›hl. Ursula mit hl. Frauen‹, ein Spätwerk *Giovanni Francesco Carotos*, Beachtung; es weist schon manieristische Züge auf. In der vierten Kapelle links befindet sich *Gerolamo dai Libris* ›Thronende Madonna zwischen S. Zeno und S. Laurentius‹.

Santa Maria in Organo ⑲

Weiter flußabwärts stößt man auf eine der schönsten Kirchen Veronas, Santa Maria in Organo (Eingang Itinerario delle Acque Morte). Die ursprüngliche Stiftskirche des Benediktinerordens (7./8. Jh.) wich im 12. Jh. einem romanischen Bau, von dem noch die Krypta erhalten ist. Im späten 15. Jh. erhielt die Kirche ihre heutige Form. Damals hatten Mönche aus dem Kloster Monte Oliveto Maggiore bei Siena die Abtei übernommen.

Der untere Teil der **Fassade** mit drei unterschiedlichen, in klassischem Stil gestalteten Bögen geht wahrscheinlich auf einen Entwurf Michele Sanmichelis zurück. Im oberen Teil, ebenso wie an den Seitenwänden, blieb das charakteristische Mauerwerk der Veroneser Romanik – wechselnde Schichten von Tuff- und Ziegelstein – erhalten. Den von einer Kuppel gekrönten Campanile konzipierte vermutlich der Olivetanermönch Fra Giovanni da Verona (gebaut 1525 – 33).

Den dreischiffigen **Innenraum** im Renaissancestil schließt in der Vierung eine Kuppel ab. Charakteristisch ist das über der Krypta aufgestockte Querschiff und das anschließende tiefe Presbyterium. Die schöne Kassettendecke ist eine Arbeit Francesco Canellas von 1790.

Auch diese Kirche ist äußerst reich an Kunstwerken. Die Wände im Mittelschiff zieren Fresken aus dem Alten Testament, rechts Arbeiten von *Francesco Caroto* (1480 – 1555), links von *Nicolò Giolfino* (1475 – ca. 1555), einem der bedeutendsten Maler der Renaissance in Verona und Schüler Liberales. Er malte auch die kleine Apsis der Cappella della Croce

Der Mönch Fra Giovanni schuf die kostbaren Intarsien in der Kirche Santa Maria in Organo, hier die Darstellung der Kirche

rechts aus. Im Presbyterium sieht man gewaltige Gemälde von *Paolo Farinati* (1556), die den ›Bethlehemitischen Kindermord‹ sowie den ›Triumph des Konstantin‹ zum Thema haben.

Hinter dem aus prachtvollem, mehrfarbigem Marmor ausgeführten Hochaltar betritt man den tiefen **Mönchschor**, in dem sich die wertvollsten Kunstwerke der Kirche befinden. Zwischen 1493 und 1499 fertigte der geniale Olivetanermönch *Fra Giovanni* kunstvolle Intarsien und Schnitzereien an, die das **Chorgestühl** zieren. Giovanni da Verona war ein ungewöhnlich vielseitiger Künstler: Architekt, Schnitzer, Miniaturist und Bildhauer; er gilt zudem als ein hochbegabter Meister der Perspektive. Von den 41 Chorstühlen sind 27 mit intarsierten Rücklehnen versehen. Kleine Pfeiler trennen die Chorstühle, aus deren Kapitellen eine Konsole mit umlaufendem Gebälk hervorspringt. Ein Bogen rahmt die Intarsien ein, und jeder Pfeiler weist andere Schnitzereien auf: Girlanden, Waffen, Tiere, Kandelaber, sowie die Passionssymbole. Die Armlehnen der Stühle werden von Greifen und geflügelten Chimären getragen. Die außerordentlich fein und präzise gearbeiteten Intarsien sind religiösen und profanen Themen gewidmet. Eine Vorliebe zeigt der Künstler für Kästen und Schränke, hinter

Toskanische Gärten standen Pate für die kunstvolle Anlage der Giardini Giusti

deren halbgeöffneten Türen symbolische Gegenstände erscheinen. Bemerkenswert sind die perspektivischen Darstellungen von Kirchen (z. B. Santa Maria in Organo), Palästen und Straßen sowie Stadtansichten des mittelalterlichen Verona.

In der Mitte des Chorgestühls steht ein *Lesepult*, das Fra Giovanni um 1500 schnitzte. Der dreieckige Sockel ist mit dekorativen Schnitzereien und Einlegearbeiten verziert. Interessant ist die Darstellung eines Hasen, dessen Fell durch raffiniert angeordnete Holzteilchen äußerst lebendig wirkt. Das Pult hat Fra Giovanni mit Intarsien von aufgeschlagenen Chorbüchern geschmückt. Verblüffend ist die Perfektion, mit der der Mönch Licht- und Schattenreflexe wie auch perspektivische Raumwirkungen allein durch verschieden getönte Holzarten hervorruft.

Als besondere Schönheit präsentiert sich die **Sakristei**, von der Vasari schrieb, sie sei die schönste, »die in ganz Italien bestand«. Die Wände bemalte *Francesco Morone* 1506 mit Porträts von ›heiligen‹ und berühmten Persönlichkeiten‹ des Benediktinerordens. Sie sind in die weiße Kutte der Olivetaner gekleidet.

An der linken Sakristeiwand stehen Kastenbänke, die Fra Giovanni von 1519–23 mit Intarsien von höchster Meisterschaft schmückte. Die Themen ähneln denen im Presbyterium; den Betrachter faszinieren sie vor allem durch die außerordentliche Raffinesse und Feinheit der Ausarbeitung. Die holzverkleidete Wand gegenüber ist mit stimmungsvollen Landschaften von Domenico Brusasorci bemalt.

Vor dem Hochaltar der Kirche steht ein weiteres wertvolles Werk des *Fra Giovanni*: ein geschnitzter, vier Meter hoher *Kandelaber* für die Osterkerze. Hervorragend sind die Darstellung der Karyatiden, die Heiligenfiguren tragen, sowie die ausdrucksstarken Bildnisse von Dante, Petrarca und Boccaccio.

Giardini Giusti ⑳

Die Via S. Maria in Organo geht weiter südlich in die Via Giardini Giusti über. Zwischen der engen dunklen Häuserzeile erhebt sich die finster wirkende Fassade des **Palazzo Giusti**. Tritt man durch das Eingangstor, öffnet sich jedoch eine gänzlich andere, verblüffende Perspektive. Der von Arkaden überwölbte Innenhof des Palastes mit einem beachtenswerten großen Leuchter öffnet sich auf

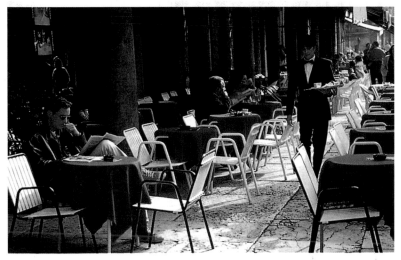

Eine Fülle gepflegter Restaurants erwartet den Gast in Verona.

eine Parkanlage, deren Schönheit gewiß jeden Besucher begeistert.

Die Familie Giusti stammte aus Florenz, hatte aber im 15. Jh. aus politischen Gründen die Toskana verlassen müssen und in Verona Zuflucht gesucht. Um ein Stück der Heimat zu bewahren, schuf sie den Garten im Stil der toskanischen Renaissance, gleichsam als natürliches Bühnenbild zu ihrem mit Fresken und repräsentativen Treppenanlagen ausgestatteten Palast. Fortan nannte sich die Familie voll Stolz ›Giusti dei Giardini‹. Die heutige Anlage geht auf das Jahr 1570 zurück. Im 19. Jh. war ein Park im englischen Stil entstanden, der jedoch im 2. Weltkrieg durch Bomben zerstört wurde.

Der Garten, in dem Natur, Kunst und Geschichte ihren Ausdruck finden sollten, hat zwei Gesichter. Im unteren Teil wandelt man durch kunstvoll geschnittene, von Buchsbaumhecken gerahmte Labyrinthe. Effektvolle Statuen, Brunnen und Blumenanpflanzungen beleben die strenge, antikische Architektur des Gartens. Rückwärtig steigt steil ein Hügel an, in dessen Hang sich Grotten und Tempelchen in der reichen Vegetation verbergen. Der Ruhm des Gartens ist die herrliche *Zypressenallee*, die sich Stufe um Stufe die Terrassen hinaufzieht und vor einer Tropfsteinhöhle endet. Darüber tritt die ›*mascherone*‹, eine dämonische Groteske aus dem Felsen. Sie wurde so konstruiert, daß aus ihrem Riesenmaul Feuerzungen ausströmen konnten. Auf dem Haupt trägt sie eine Art Balkon, den

sog. ›*Belvedere*‹, von dem man einen großartigen Blick über den Garten und die Stadt hat. Die Höhlen und Grotten im Hang, die heute weitgehend verfallen sind, waren einst mit Spiegeln, Edelsteinen, buntem Glas und illusionistischer Malerei ausgestattet. Kurz vor dem Ausgang steht eine Steinskulptur, an deren Sockel ein Holzhammer befestigt ist. Schlägt man ihn gegen die Statue, erklingt ein heller, nachschwingender Ton, während der Sockel nur einen dumpfen, klanglosen Laut hervorbringt. Aus alten Beschreibungen weiß man, daß der Garten früher mit Wasserspielen, Vogelvolieren und Wild, das in einem zugehörigen Wald lebte, bereichtert war.

Öffnungszeiten: tgl. 9–20 Uhr, im Winter bis Einbruch der Dunkelheit

Praktische Hinweise

Tel.-Vorwahl Verona: 045
Information: Azienda di Promozione Turistica, Via Leoncino, 31, Tel 59 28 28, Fax 8 00 36 38

Hotels und Restaurants

***** **Due Torri Hotel Baglioni**, Piazza S. Anastasia, Tel. 59 50 44, Fax 8 00 41 30. Traditionsreiches, luxuriöses Haus an historischem Platz (ehem. Poststation), Einrichtung im Stil des Veroneser ›Ottocento‹; behagliches Wohnen, das aber seinen Preis kostet.

**** **Hotel Accademia**, Via Scala, 10–12, Tel. u. Fax 59 62 22. Zentral gelegenes, modernes Haus mit viel Komfort und einer sehr guten Küche.

**** Colomba d'Oro, Via C. Cattaneo, 10, Tel. 59 53 00, Fax 59 49 74. Unweit der Piazza Brà, gemütliches Stadthotel mit besonders freundlichem Service.

** Hotel Aurora, Piazzetta XIV Novembre, 2, Tel. 59 47 17, Fax 8 01 08 60. Einfaches, preiswertes Haus mit schönem Ausblick auf die Piazza delle Erbe; gutes Frühstück.

Hotel Villa del Quar – Pedemonte, Tel. 6 80 06 81, Fax 6 80 06 04. Ca. 20 Autominuten außerhalb Veronas im Valpolicella gelegenes, sehr geschmackvoll mit alten Möbeln eingerichtetes Landhotel; sehr ruhige Lage, Schwimmbad.

Ristorante 12 Apostoli, Corticella S. Marco, 3, Tel. 54 69 99, Fax 59 15 30. Dieses beliebte Traditionslokal gehört zu den besten in Verona.

Ristorante Re Teodorico, Piazzale Castel S. Pietro, 1, Tel. 8 34 99 90. Vor allem die unvergleichliche Lage über der Stadt besticht bei diesem Lokal.

La Pigna – Antica Trattoria, Via Pigna, 4, Tel. 8 00 40 80. Nahe dem Dom in der Altstadt gelegene kleine Trattoria, sehr gemütlich, mit einer abwechslungsreichen Küche zu zivilen Preisen.

Ristorante Greppia, Vicolo Samaritana, 3, Tel. 8 00 45 77. Angenehmes Lokal im centro storico, wo viele Veroneser verkehren; typische Gerichte der Region.

37 Das Valpolicella

Nördlich von Verona beginnt die liebliche Hügellandschaft des Valpolicella, die sich zwischen der Etsch im Westen und dem Valpentana ausbreitet.

Berühmt ist diese Gegend für ihren schmackhaften *Wein*, den roten Valpolicella und den Recioto. Ebenso berühmt ist der rote Veroneser *Marmor*, der hier gebrochen wird und in der Stadt überall Verwendung fand. Das Valpolicella ist ein reizvolles Ausflugs- und Wandergebiet. Die Weinberge, die Hügel mit Villen und Dörfern des südlichen Teiles weichen zum Gebirge hin einer herberen Landschaft, die mehr und mehr alpinen Charakter annimmt. Die häufig noch recht ursprünglich gebliebenen Dörfer mit rustikalen Natursteinhäusern sind manche Entdeckung wert.

Im Mittelalter gehörte dieses Gebiet dem Geschlecht der della Scala. Die Venezianer verliehen ihm eine eigenständige Verwaltung unter Führung eines Vikars. Reiche Veroneser Familien bevorzugten das Valpolicella seines angenehmen Klimas wegen und bauten Villen und Landhäuser, die als *Sommersitze* dienten. Ein Teil dieser Villen hat sich erhalten und die meisten befinden sich noch heute in Privatbesitz. Dichte Bebauung und Zersiedelung haben leider dem Valpolicella viel von seinem besonderen Reiz genommen. Die Villen – meist von schönen alten Gärten umgeben – nehmen sich wie Inseln im Meer ausufernder Besiedlung aus.

Villa Mosconi-Bertani: Hinter Arbizzano, bei dem Straßenschild Novare, führt rechts eine kleine Straße in ein ausgedehntes Weinbaugebiet und stößt am Ende auf die Villa Mosconi-Bertani, einen repräsentativen Bau des 18. Jh. Der Architekt der noblen Anlage war *Adriano Cristofali*. Die klassische Fassade des Mitteltraktes ist durch Halbsäulen und Lisenen gegliedert. Darüber fügt sich der Dreiecksgiebel in eine mit Statuen geschmückte Attika ein. Im Innern besticht der über zwei Geschosse reichende Saal mit reichem Freskenschmuck, der Allegorien der Künste und der Jahreszeiten zum Inhalt hat. Die Villa gehört der Familie Bertani, die zu den bedeutendsten Repräsentanten des Valpoliceller Weinbaus zählt. Eine Besichtigung ist auf Anfrage möglich.

Villa Serego Boccoli: Versteckt in einem Park liegt bei Pedemonte die Villa Serego Boccoli, die heute zu dem Weingut S. Sofia gehört. Marcantonio Serego ließ die Villa 1560 nach Plänen *Andrea Palladios* bauen. Der große Architekt hatte eine weite, sich um einen Innenhof gruppierende, vierflügelige Anlage vorgesehen, von der jedoch nur ein Teil ausgeführt wurde. Palladio dachte an die Konstruktion eines römischen Hauses mit Peristyl und Atrium, wie sie der Architekt Vitruv beschrieben hatte. Ungewöhnlich ist die Verwendung von rohem Naturstein, durch den der Bau einen bodenständigen, rustikalen Charakter erhält. Die Villa ist nicht frei zugänglich; man kann in dem Weingut S. Sofia um Zutritt bitten.

Villa del Bene: In Volargne di Dolce bei *Affi* lohnt sich der Besuch der Villa del Bene, die heute ein *Museo Nazionale* beherbergt. Eine hohe Mauer mit dem Hauptportal zur Etsch hin umgibt den repräsentativen Bau, der um 1500 errichtet

Die Villa Serego Boccoli bei Pedemonte entstand nach Plänen Andrea Palladios

wurde. 1551 beauftragte man *Michele Sanmicheli*, die Anlage umzubauen und zu erweitern. Besonders sehenswert ist der reiche Freskenschmuck der Räume, den Francesco Caroto und Domenico Brusasorci schufen.

Kirche San Giorgio: Im Valpolicella sind eine Anzahl romanischer Kirchen erhalten. Herausragend und einen Besuch wert ist die Kirche San Giorgio in Ganna bei Sant'Ambrogio di Valpolicella. Der kleine Weiler liegt hoch auf einem Hügel über Sant'Ambrogio, von dem aus man einen wunderschönen Blick über die Hügelwelt des Valpolicella hat.

Die Pieve steht an der Stelle eines antiken Heiligtums, von dem ein Opfertisch erhalten ist. Während der Langobardenzeit gab es hier eine bedeutende Klerikerschule, die bis ins späte Mittelalter als ein religiöses Zentrum wirkte. Die heutige Kirche mit dreiseitigem Kreuzgang stammt vermutlich aus dem 11. Jh. Es handelt sich um eine doppelchörige Basilika, die den drei Apsiden der Ostwand eine Apsis am Westende gegenüberstellt. Diese ist mit einem Fresko ausgemalt, das Christus in der Mandorla als Weltenrichter zeigt. Er wird von vier apokalyptischen Gestalten umgeben. Die Darstellung ist noch ganz der byzantinischen Tradition verpflichtet.

Niedrige Rundbogenarkaden teilen den Innenraum in drei Schiffe. Berühmt ist das in der Ostapsis aufgestellte *Zibo-rium*. Aus Inschriften geht hervor, daß es

während der Regierung des langobardischen Königs Liutprand (712–44) entstand. Es erhebt sich mit vier Säulen über dem Altar, der 1923 nach dem Vorbild von San Prospero in Perugia zusammengesetzt wurde, nachdem man die Einzelteile zerstreut gefunden hatte. Der Baldachin, den die Säulen tragen, ist mit den für die langobardischen Steinmetze typischen Flechtbandornamenten geschmückt. Der kleine *Kreuzgang* rechts der Kirche ist besonders reizvoll. Die niedrigen Arkaden ruhen auf anmutigen Säulen, deren Kapitelle Blattwerk, Ranken und Tiere zieren. Er wird in die Zeit zwischen dem 10. und dem 12. Jh. datiert.

Santa Maria in Stelle: Nördlich von Verona, nur wenige Kilometer außerhalb der Stadt, Richtung Bosco Chiesanova befindet sich im Valpantena, Ortsteil Santa Maria in Stelle, gleich neben der Pfarrkirche ein einzigartiges unterirdisches Heiligtum aus römischer Zeit (2. bis 3. Jh. n. Chr.). Durch einen langen Gang erreicht man einen tonnengewölbten Raum mit zwei Seitenräumen, die in Apsiden enden. Die Funktion dieser unterirdischen römischen Tempelanlage ist nicht mehr bekannt. Im 4. Jh. entstand hier eine christliche Kultstätte, die im 5. Jh. mit sehr schönen, bis heute erhaltenen Fresken ausgestattet wurde. Im Laufe der Zeit sind sie zwar weitgehend verblaßt, doch die Wirkung dieser frühen, noch von der römischen Malerei beeinflußten Bilder ist unvermindert stark.

Gardasee aktuell A bis Z

Vor Reiseantritt

ADAC Info-Service:
Tel. 0 18 05/10 11 12, Fax 30 29 28

Allgemeine Informationen geben Automobilclubs und Reisebüros, vor allem aber das **Staatliche Italienische Fremdenverkehrsamt ENIT** (Ente Nazionale Italiana per il Turismo):

Deutschland
Karl-Liebknecht-Str. 34, 10178 Berlin,
Tel. 0 30 / 23 14 69 17, Fax 23 14 69 12

Kaiserstr. 65, 60329 Frankfurt/Main,
Tel. 0 69 / 23 74 34, Fax 23 28 94

Goethestr. 20, 80336 München,
Tel. 0 89 / 53 13 17, Fax 53 45 27

Österreich
Kärntnerring 4, 1010 Wien,
Tel. 01 / 5 05 16 39, Fax 5 05 02 48

Schweiz
Uraniastr. 22, 8001 Zürich,
Tel. 01 / 2 11 79 17, Fax 2 11 38 85

Informationen am Gardasee selbst bietet die **Communità del Garda**, Via Roma, 8, 25083 Gardone, Tel. 03 65 / 29 04 11, Fax 29 00 25

Allgemeine Informationen

Reisedokumente

Für Reisende aus Deutschland, Österreich und der Schweiz genügt ein gültiger Personalausweis oder ein Reisepaß bzw. Kinderausweis.

Kfz-Papiere

Für das eigene **Kraftfahrzeug** braucht man auch den Führerschein, die amtliche Zulassung sowie die *Internationale Grüne Versicherungskarte*. Wer in einem fremden Wagen fährt, benötigt eine Vollmacht des Fahrzeugbesitzers. Für **Motorboote** ab 3 Steuer-PS (1 Steuer-PS = 3,5 PS) ist die *Blaue Karte* erforderlich (erhältlich bei Autofahrerclubs).

Krankenversicherung etc.

Auslandskrankenscheine der Krankenkassen berechtigen zur kostenlosen Behandlung in öffentlichen italienischen Krankenhäusern und bei Vertragsärzten. Eine **private Auslandskrankenversicherung** schützt vor unangenehmen Überraschungen, eine Reisegepäckversicherung mildert schmerzliche Verluste.

Für **Hund und Katze**: Benötigt wird ein höchstens 30 Tage altes tierärztliches Gesundheitszeugnis und eine Tollwutimpfbescheinigung (mind. 20 Tage, max. 11 Monate alt).

Zollbestimmungen

Bei Reisen *innerhalb der EU* gelten für die Einfuhr von Waren für den privaten Verbrauch (z. B. 800 Zigaretten, 10 l Spirituosen, 90 l Wein) keine Zollgrenzen mehr, es werden auch keine Warenkontrollen (ausgenommen Sicherheitskontrollen) durchgeführt. Für *Österreich* besteht noch eine Übergangsregelung, die auch aus EU-Ländern nur die Einfuhr von 2,25 l Spirituosen bis 22% Alkoholgehalt und 1 l Spirituosen mit beliebigem Alkoholgehalt erlaubt. Die Wareneinfuhr aus *Drittländern* (Schweiz) sieht nach wie vor Höchstgrenzen vor: 200 Zigaretten, 100 Zigarillos, 50 Zigarren oder 250 g Tabak, 1 l Spirituosen über 22% oder 2 l alkoholische Getränke unter 22% und 2 l Wein, 50 g Parfum, 250 ml Eau de Toilette, 500 g Kaffee und 100 g Tee.

Geld

Die italienische Währungseinheit ist die *Lira* (Lit). Für die Einfuhr von Lire und Devisen gibt es keine Beschränkung. Beträge bis zu max. 20 Mio. Lire oder ihr Gegenwert in Fremdwährung dürfen aus Italien frei ausgeführt werden. Für höhere Beträge ist eine Bewilligung vom Zoll nötig.

Im Umlauf sind Noten zu 1000, 2000, 5000, 10000, 50000 und 100000 Lire und Hartgeld zu 50, 100, 200 und 500 Lire.

Euroschecks (pro Scheck max. Lit. 300000) und *Kreditkarten* werden in Banken, in Hotels und in vielen Geschäften akzeptiert. An zahlreichen *EC-Geldautomaten* kann Geld rund um die Uhr abgehoben werden. Gegen Vorweis eines Personalausweises kann man von *Postsparbüchern* bis zu 1 Mio. Lire bekommen.

Tourismusämter im Land

In jedem der beschriebenen Orte (s. ›**Praktische Hinweise**‹ im Haupttext) gibt es Außenstellen der *Tourismusämter* oder *Informationsbüros*. Bei diesen Stellen gibt es reichhaltiges Prospektmaterial. Viele Broschüren sind in Deutsch erhältlich. Die meisten Büros sind von 9–12.30 und 15–19.30 Uhr geöffnet, in kleineren Badeorten nur von Mai bis Ende September.

Notrufnummern und Adressen

Polizeinotruf, Unfallrettung: 113
Polizei (Carabinieri): 112
Notarzt: 118
Feuerwehr: 115
Straßenhilfsdienst des ACI: 116 (auch mehrsprachig)

Bei *Autopannen* leistet der **ACI-Pannendienst** (Soccorso Stradale) Tel. 116 rund um die Uhr Hilfe. Man beachte die *gelben Notrufsäulen* auf den Autobahnen (ca. alle 2 km).

ADAC-Notrufstation für Italien in Mailand, Tel. 02/66101106
ADAC-Notrufzentrale München, Tel. (0049)89/222222
ADAC-Ambulanzdienst München, Tel. (0049)89/767676

Bei Unfällen mit Sachschäden ist es dringend erforderlich, die Versicherungsanstalt und die Versicherungsnummer des Unfallgegners zu notieren. Bei Unfällen mit Personenschäden muß die Polizei verständigt werden. Landwirtschaftliche Fahrzeuge und Mopeds sind in Italien nicht versichert, es wird daher der Abschluß einer *Vollkaskoversicherung* für die Reisedauer empfohlen.

Bei Autodiebstählen wende man sich an die nächstliegende Polizeidienststelle (Auskünfte über die Notrufnummer 116 des ACI).

Diplomatische Vertretungen

Konsulat der Bundesrepublik Deutschland
Via Solferino, 40, Mailand,
Tel. 02/6554434, Fax 6554213

Österreichisches Konsulat
Via Tranquillo Cremona, 27, Mailand,
Tel. 02/4812937, 866168

Schweizer Konsulat
Via Palestro, 2, Mailand,
Tel. 02/7779161

Besondere Verkehrsbestimmungen

Tempolimits (in km/h) im *Ortsbereich* Pkw (auch mit Anhänger), Motorräder und Wohnmobile 50. Auf *Land- und Gemeindestraßen* Pkw (ohne Anhänger) und Motorräder 90 (auf Schnellstraßen 110, Beschilderung beachten!), Pkw mit Anhänger 70. Auf *Autobahnen* Pkw (ohne Anhänger) 130, mit Anhänger 80. Bei Überschreitung der Höchstgeschwindigkeiten drohen Strafen bis zu Lit. 800000. Allerdings ist auch langsames, den Verkehr beeinträchtigendes Fahren verboten.

Es besteht **Gurtanlegepflicht** und für Zweiradfahrzeuge **Sturzhelmpflicht**. Kinder unter 12 Jahren müssen auf dem Rücksitz befördert werden

Die **Promillegrenze** liegt bei 0,8. **Parkverbot** gilt bei schwarzgelben Bodenmarkierungen, Straßenbahnen haben immer Vorrang.

Wichtig: Jede Ladung, die nach hinten überragt (Surfbretter, Boote, Fahrradständer), muß mit einer 50×50 cm großen rot-weiß-roten reflektierenden *Warntafel* (ggf. mit Rückstrahlern) versehen sein. Keine Ladung darf über die Vorderkante des Fahrzeugs hinausragen.

Besondere **Verkehrsschilder**: Zona di silenzio = Hupverbot; Deviazione = Umleitung; Tenere la destra = rechts fahren; Tutti direzioni = alle Richtungen; Rallentare = langsam fahren; Senso unico = Einbahnstraße; Sbarrato = gesperrt; Zona tutelata INIZIO = Beginn der Parkverbotszone.

Anreise

Auto

Die Anfahrt über den Brenner geht am schnellsten über die Autobahn A 22. Die

Aktuell A bis Z

Abfahrt zum Gardasee Nord ist hinter Rovereto, zum Gardasee Süd bei Affi. Von Trient kann man auch die Staatsstraße N 45 bis Richtung Riva durch das Sarcatal nehmen. Die Autobahn ist gebührenpflichtig.

Die **Autobahngebühren** in Italien werden nach fünf Kategorien und einzelnen Teilstücken berechnet. Pkw ohne Anhänger fallen in die 1., Wohnmobile in die 2., Pkw mit einachsigem Anhänger in die 3. und Pkw mit zweiachsigem Anhänger in die 4. Kategorie. Zwischen der 1. und 4. Kategorie verdoppeln sich die Preise ungefähr. Die Maut wird bei der Autobahnabfahrt in Lire oder Fremdwährung bezahlt. Besitzer der *Viacard* (beim ADAC; in Italien bei Banken, Sparkassen und an Kiosken zu umgerechnet ca. DM 45 bzw. DM 90 erhältlich) können bei vielen Mautstellen auf eigenen Fahrspuren bargeldlos abgefertigt werden.

Autobahn-Tankstellen sind durchgehend geöffnet, die meisten übrigen Tankstellen Mo–Fr 7–12.30 und 15–19 Uhr. Am Wochenende machen sie Schichtdienst. Auf Hauptstrecken gibt es *SB-Tanksäulen*, die Geldscheine zu 10 000 und 50 000 Lire annehmen.

Bus

Überlandbusse fahren von deutschen Großstädten nach Verona.

Eisenbahn/Autoreisezüge

Die Züge über den Brenner erreichen Verona direkt; nach Brescia führt eine Strecke über Peschiera, Desenzano. Von München aus verkehrt der Zug »Garda« über Innsbruck, Trient, Rovereto, Verona, Peschiera, Desenzano, Brescia bis Mailand. (Abfahrt München 7.30 Uhr – Ankunft Mailand 14.50 Uhr; Abfahrt Mailand 15.10 Uhr – Ankunft München 22.30 Uhr.) Züge nach Rom oder Venedig halten in der Regel in Trient, Rovereto und Verona, allerdings ist die Weiterfahrt von dort aus zum Gardasee u. U. kompliziert, da in dieser Region das Bahnnetz nur schlecht ausgebaut ist: Die Bahntrasse verläuft von Nord nach Süd entlang der Autobahn, also verhältnismäßig weit vom See entfernt, und am Südufer des Sees. Hier ist Peschiera ans Streckennetz angeschlossen.

Autoreisezüge fahren von Hamburg und Frankfurt nach Verona (z. T. allerdings nur im Sommer).

Flugzeug

Der *Flughafen* für die Gardasee-Region ist Verona, Aeroporto Valerio Catullo di Villafranca. Auskunft: Tel. 0 45/8 09 56 66. Linienflüge verkehren von Düsseldorf, Frankfurt und München aus. Von Österreich und der Schweiz aus wird Verona nicht angeflogen, hier wäre der ›Umweg‹ über Rom nötig.

Bank, Post, Telefon

Bank

Geldwechsel ist bei allen Banken Mo–Fr 8 bzw. 8.30–13.30 und 14.30 bzw. 15–16 Uhr möglich. Wechselstuben in Flughäfen und Bahnhöfen sind gewöhnlich 8–20 Uhr geöffnet. Beim Geldwechsel ist die Vorlage eines *Personaldokuments* erforderlich.

Post

Fast jede Gemeinde am Gardasee verfügt über ein Postamt (Mo–Fr 8–13.00 bzw. 14 Uhr, Sa 8–11.30 Uhr geöffnet). Briefmarken (*francobolli*) gibt es auch in Tabak- und manchen Souvenirläden. Das **Porto** für Briefe nach Deutschland, Österreich und in die Schweiz beträgt derzeit 850 Lire, für Postkarten 700 Lire.

Telefon

Außer in Telefonzellen kann man auch in Bars telefonieren, wahlweise mit Münzen oder ›gettoni‹ (200 Lire). Auslandsgespräche führt man am besten mit Telefonkarten (carta telefonica), die man für 5000 oder 10 000 Lire an Zeitungskiosken und Tabakläden kaufen kann. Alle modernen öffentlichen Telefonzellen funktionieren mit Münzen und mit Telefonkarte.

Vorwahl für **Deutschland** 00 49, für die **Schweiz** 00 41, für **Österreich** 00 43, Vorwahl nach **Italien** 00 39.

Telefonauskunft: 12 – Billigtarif 22–8 Uhr und an Wochenenden. **Mobiltelefone** dürfen mitgeführt werden. Ihre Benutzung ist jedoch nur im D1- und D2-Netz möglich und erlaubt.

Einkaufen

Offizielle Öffnungszeiten der Geschäfte: 9–13 und 16.30–19.30 Uhr, am Gardasee haben jedoch viele Geschäfte während der Saison auch samstags und teilweise sogar sonntags geöffnet.

Die Orte rund um den Gardasee bieten eine Fülle von Souvenirläden, von Modeboutiquen, Sportartikelläden etc. Nur selten findet man etwas Originelles. Die Preise sind gewöhnlich nicht günstiger als in Deutschland, Österreich oder der Schweiz. Beliebte Artikel sind nach wie vor *Lederwaren* und *Schuhe*, die auch auf den Märkten angeboten werden. Preiswerter als in Deutschland ist *Zinn*, das meist aus Brescia kommt. Gutes *Olivenöl* vom Gardasee hat seinen Preis. Sein Geschmack ist mild und sehr angenehm.

Überall findet man **Vinotheken**, in denen die Weine der Region angeboten werden. Vier Weingebiete grenzen an den See: die *Riviera del Garda Bresciana, Lugana, Custoza* und *Bardolino*. Ein beliebter, fruchtiger Rosé ist der ›*Chiaretto*‹, der vor allem im Valténesi getrunken wird. Im Lugana wächst ein angenehmer Weißer, ebenso in Custoza südöstlich von Peschiera. Der Bardolino ist ein leichter süffiger Rot- oder Weißwein, der jung getrunken wird. Schwerer sind die Weine aus dem Valpolicella nordwestlich von Verona. *Valpolicella, Recioto* und *Amarone* aus dem Veroneser Hügelland gehören zu den Spitzenweinen Italiens.

Sehr gute weiße und rote Weine kommen aus dem Trentino. Berühmt ist der schwere *Marzemino*, dem Mozart im ›Don Giovanni‹ ein Denkmal setzte.

Verona ist eine sehr angenehme Einkaufsstadt für elegante Mode (Pelze!) und Schuhe. Diese werden im Umkreis der Stadt hergestellt. Man findet eine reiche Auswahl zu unterschiedlichen Preisen. Außer in den Geschäften kann man die Schuhe auch direkt bei den Fabriken im Umland erwerben. Kulinarische Spezialitäten sind: die *Baci di Giulietta*, mit Likör gefüllte süße Köstlichkeiten, sowie der berühmte *Pandoro*, ein trockener, aromatischer Kuchen.

Märkte

In Verona werden Märkte von Di – Fr in verschiedenen Stadtteilen abgehalten; am dritten Samstag im Monat findet der ›Mercato 3A‹ (Artigianato, Arte, Antiquario) auf der *Piazza San Zeno* mit Kunsthandwerk, Antiquitäten und Kunst statt.

Märkte rund um den Gardasee:

Montag: Peschiera, Moniga, Torri del Benaco, Cisano di Bardolino

Dienstag: Castelletto di Brenzone, Castelnuovo del Garda, Desenzano, Limone (1. u. 3. Di im Monat), Nago (1. u. 3. Di im Monat), Torbole (April – Sept.)

Mittwoch: Arco (1. u. 3. Mi im Monat), Gargnano, Lazise, Riva (2. u. 4. Mi im Monat), S. Felice del Benaco

Donnerstag: Bardolino, Bussolengo, Toscolano-Maderno, Colà di Lazise

Freitag: Garda, Manerba, Sirmione

Samstag: Caprino Veronese, Malcesine, Padenghe, Salò, Valeggio sul Mincio

Sonntag: Borghetto di Valeggio (3. So im Monat), Rivoltella di Desenzano

Obwohl die Märkte an Originalität verloren haben, lassen sich manchmal noch hübsche Leder- oder Strickwaren finden. Ein Besuch lohnt sich allein, um die geschäftige und doch entspannte Atmosphäre zu beobachten.

Essen und Trinken

Der starke Tourismus, vornehmlich aus den deutschsprachigen Ländern, hat die Gastronomie rund um den Gardasee nachhaltig beeinflußt. Immer mehr deutsche Gerichte tauchten auf den Speisekarten auf. Untypische Pizzerien dominierten die gastronomische Landschaft und italienische Einheitskost, die jeder im Ausland kennt, verdrängte einheimische Spezialitäten. Allmählich beginnt eine Wiederbelebung der alten Traditionen, eine Rückbesinnung auf heimische Produkte und überlieferte Rezepte.

Die vielfach von jungen Köchen und Gastronomen neue ›alte‹ Küche versucht, dem Bedürfnis nach leichter, natürlicher Kost Rechnung zu tragen, ohne jedoch auf Überliefertes zu verzichten. Die Veroneser Gardaseeküche der *Riviera degli Olivi* mit dem Monte-Baldo-Gebiet, der Gegend um *Rivoli* und dem *Minciotal* stellt eine Reihe von Rezepten in den Mittelpunkt ihrer Kochkunst, die vor allem auf der Basis regionaler Produkte wie Olivenöl, heimischer Gemüsearten und vor allem **Fisch** basiert. Fische aus dem See wie die *Gardaseeforelle, Karpfen, Schleien, Zander, Aal* sind seit Jahrhunderten die Hauptnahrungsmittel der Region. Von den Gemüsen nimmt im Frühjahr der *Spargel* aus dem Gebiet von Rivoli und Cavaion eine Vorrangstellung ein. Im

Minciotal, wo schon der Einfluß der Küche Mantuas spürbar ist, gibt es die herrlichsten **Pasta-Gerichte**. Berühmt sind die ›Tortellini von Valeggio‹, hausgemacht, mit einer delikaten Fleischfüllung. Ragouts von *Wildhasen* oder *Kaninchen* begleiten die selbstgemachten Spaghetti. Eine besondere Spezialität der oberen Gardaseeküche sind die sog. ›agole‹ oder ›aole sale‹, kleine Fische, die – gesotten – im Ganzen verzehrt werden. Im **Monte-Baldo-Gebiet** stehen **Wildgerichte**, Kaninchen, Ziege und *Lamm* auf der Speisenkarte. Sie werden mit heimischen Käsen, Bergkräutern, und mit Pilzen angereichert und verfeinert.

Aus **Verona** kommt das berühmte Hauptgericht ›*bollito misto co la pearà*‹. Es besteht aus verschiedenen gekochten Fleischsorten mit einer Pfeffersoße aus Knochenmark, Semmelmehl und Fleischbrühe. Eine Besonderheit ist auch die ›*pastissada de caval*‹, ein pikant gewürztes, in Rotwein (Barolo oder Amarone) geschmortes Pferderagout. Zu den Hauptgerichten ißt man vielfach Polenta.

Im **Valténesi** haben sich verschiedene gastronomische Betriebe zu einem ›Club Pesce di Lago‹ zusammengeschlossen, um traditionelle **Fischgerichte** wiederzubeleben. Vor allem der ›*coregone*‹, eine weiße Lachsart, die in großen Seen lebt, wird hier präsentiert. Olivenöl ›extravergine‹ und der fruchtige Rosé *Chiaretto* ergänzen die Tafelfreuden des Valténesi.

Feste und Feiern

In ganz Italien sind der 1. und 6. Januar, Ostersonntag (Pasqua) und Ostermontag (Pasquetta), der 25. April (Fest der Befreiung), der 1. Mai, 29. Juni (St. Peter und Paul), 15. August (Ferragosto), 1. November, 8. Dezember (Mariä Empfängnis), 25. und 26. Dezember gesetzliche Feiertage. Rund um den Gardasee werden außerdem vor allem die Patroziniumsfeste der Kirchen feierlich begangen. Während des Sommers finden in verschiedenen Orten die traditionellen *Regatte delle bisse* statt. Es handelt sich um Wettkämpfe mit schmalen, flachen Booten, die von vier Männern wie Gondeln im Stehen vorwärts bewegt werden.

Februar / März

Verona: *Fasching* mit einem Umzug und Spektakeln in den verschiedenen Stadtteilen.

März / April

Brenzone: Karfreitagsprozession

Juni

Trient: *Feste Vigiliane* – Festwochen zur Erinnerung an den Schutzpatron S. Vigilio. Dabei finden der *Patio dell'Oca* (Geschicklichkeitskämpfe mit Floßen auf der Etsch, der Sieger erhält eine Gans = *oca*) sowie das mittelalterliche Maskenfest *Ciusi e Gobj* auf dem Domplatz statt.

August

Garda (15. 8., Mariä Himmelfahrt): *Palio delle Contrade* – Wettkampf zwischen den einzelnen Ortsbezirken mit traditionellen Booten.

September

Bardolino (Ortsteil Cisano, 1. Septemberwoche): *Sagra dei Osei* – Fest der Vögel, traditionelles Volksfest.

Desenzano: *Festa dell'ánitra* – ›Entenfest‹, traditionelles Volksfest.

Oktober

Bardolino (1. Wochenende im Okt.): *Festa dell'uva* – Weinfest (*uva* = Weintraube)

November

Bardolino: *Festa del vino Bardolino Novello DOC* – Weinfest, bei dem der neue Wein vorgestellt wird.

Klima und Reisezeit

Das Klima ist im Gardaseegebiet außerordentlich mild, denn die Berge halten die kalten Nordwinde fern. Die mittlere Jahrestemperatur beträgt 12 Grad C. Die jahreszeitlichen Temperaturschwankungen werden außerdem durch die großen Wassermassen ausgeglichen, so daß die Winter vergleichsweise mild sind, und die Sommer nicht zu heiß werden. Die Hitze des Sommers mildern außerdem die kühlenden Winde.

Sehr schön und sehr viel ruhiger sind das Frühjahr und der Herbst. Im April und Mai entfaltet sich die reiche, vielfältige Blütenpracht am See; das Monte-Baldo-Gebiet besticht im Frühsommer durch seine einzigartige Flora. Im Herbst ist es ruhig am See, die Farben werden nun weicher, und die Silhouetten der Berge scheinen sich im hellen Dunst aufzulösen.

Klimatabelle (Durchschnittswerte)

Monat	Luft (°C) Nacht/Tag	Wasser (°C)	Sonnen- std./Tag	Regen- tage
Januar	1/5	8	3	5
Februar	1/7	6	4	5
März	4/12	8	5	7
April	9/17	10	6	9
Mai	13/20	13	7	11
Juni	17/24	18	7	10
Juli	19/27	20	8	8
August	18/26	21	7	8
September	21/15	19	6	7
Oktober	10/16	16	5	8
November	11/5	12	3	8
Dezember	2/6	9	3	8

Kultur live

Entsprechend der touristischen Beliebtheit dieser Region ist hier auch das kulturelle Angebot sehr groß, vor allem im Sommer gibt es zahlreiche Festivals in den Orten am See oder auch (historische oder historisierende) Feste in den Schlössern. Außerdem ist Ende September /Anfang Oktober die Zeit der Traubenkuren im Gebiet Trentino / Garda, verbunden mit Konzerten und anderen Veranstaltungen. Kultureller Höhepunkt sind jedoch zweifellos die sommerlichen Opernfestspiele in Verona.

Juni

Riva del Garda: *Notte di Fiaba* – Fest mit großem Feuerwerk am See zum Auftakt der Sommersaison.

Juli

Riva del Garda: Musikfestival

Juli /August

Dro (Ende Juli /Anfang August): *Drodesera* – Theater- und Tanzfestival.

Gardone Riviera: *Stagione teatrale del Vittoriale* – Theateraufführungen im Amphitheater des Vittoriale.

Riva del Garda (2. Julihälfte /Anfang August): *Musica Riva* – internationales Treffen junger Musiker in Riva.

Juli – September

Verona: Opernfestspiele in der Arena.

September

Rovereto, Trient: *Oriente Occidente* (1. Septemberhälfte) – Theater und Tanz im Theater von Rovereto und in den Schlössern der Umgebung.

Mozart-Fest (2. Septemberhälfte) – Konzerte mit der Musik Mozarts, der als 13jähriger in Rovereto konzertierte.

Riva del Garda: *Notte di Fiaba* – großes Feuerwerk und Musik zum Ende der Sommersaison.

Trient: *Trento Musicantica* – Konzerte und Konferenzen mit alter / über alte Musik (September / Oktober).

Museen und Kirchen

Museen

Die *Öffnungszeiten* der Museen sind uneinheitlich. Detaillierte Angaben finden sich im Haupttext. Im allgemeinen kann man jedoch davon ausgehen, daß die Museen 9–13 Uhr geöffnet sind, wobei Montag als Ruhetag gilt.

Kirchen

Während der *Gottesdienste* sollten Kirchen nicht besichtigt werden. In den Mittagsstunden sind sie zumeist geschlossen. Kleinere Kirchen in abgelegenen Orten sind meist verschlossen, es findet sich jedoch immer jemand in der Nähe, der behilflich sein kann.

Nachtleben

Nachtschwärmer finden am Gardasee gute Möglichkeiten, sich auszutoben. Mehrere Orte haben Diskotheken und Nachtlokale, die bis 3 oder 4 Uhr morgens geöffnet sind. Die Renner sind zur Zeit die Diskotheken ›Sesto Senso‹ in Desenzano, die größte der gesamten Region und bekannt durch den Film ›I Ragazzi della Notte‹, sowie die Disco ›Genux‹ bei Lonato. Doch auch ›klassische‹ Nachtlokale, Pubs oder Piano Bars findet man in allen größeren Ortschaften wie in Riva, Torri del Benaco, Salò, Lazise oder Malcesine. Arco verfügt außerdem über ein Spielcasino.

Sport

Angeln

Im Gardasee und im Mincio mit Angelschein erlaubt. Den Antrag für den Schein erhält man bei den Fremdenverkehrsämtern oder bei den Gemeinden.

Baden

Die Wasserqualität des Gardasees ist immer wieder ins Gerede gekommen. Laut ADAC und den örtlichen Wasserprüfstellen besteht jedoch kein Anlaß, nicht im See zu schwimmen. Vom 1. 6. bis 31. 8. informiert der ADAC-Sommerservice über die aktuelle Badegewässerqualität am Gardasee unter Tel. (01 80) 5 10 11 12. Badeschuhe werden empfohlen, da die Ufer meist sehr steinig sind.

Golf

Garda Costermano, Ca'degli Olivi (27 Loch), Tel. 0 45/6 27 90 30

Soiano del Lago, Gardagolf (18 Loch), Tel. 03 65/67 47 07

Sommacampagna, Golfclub Verona (27 Loch), Tel. 0 45/51 00 60

Toscolano-Maderno, Circolo del Golf Bogliaco (9 Loch), Tel. 03 65/64 30 06

Klettern

Die besten Klettermöglichkeiten befinden sich in Arco. Auch in Torbole-Nago kann man klettern, Auskünfte erteilen die Fremdenverkehrsämter.

Motorschiffahrt

Auf dem See überall erlaubt, mit Ausnahme des zum Trentino gehörenden Teiles (Küste von Riva, Arco, Torbole). Auskünfte über Sicherheitsbestimmungen, Lärmschutz, Geschwindigkeit usw. erteilen die Hafeninspektoren, die Fremdenverkehrsbüros und die Polizeistationen.

Mountainbike

Biken wird in der Region immer beliebter, vor allem am Monte Baldo (die Seilbahn von Malcesine nimmt um 8.10, 8.20, 8.50, 9.10, 9.50, 19.20 Uhr Mountainbikes mit). Schön zu befahren sind außerdem die alte Straße nach Pregasina, am Ledrosee sowie das Tennotal.

Segeln

Fast jeder Ort am Gardasee hat eine Segelschule. Fragen Sie bei den Fremdenverkehrsämtern. Die schönsten Segelreviere liegen in der Mitte des Sees, wo die Alpen der Hügellandschaft Platz machen. Segelwettbewerbe gibt es u. a. im März in Riva, im August in Salò und im September in Gargnano.

Surfen

Surfschulen findet man fast überall am See, so z. B. in Arco, Brenzone, Desen-zano, Garda, Gargnano, Limone, Malcesine, Nago-Torbole, Padenghe, Peschiera, Riva, Sirmione, Tremosine. Am beliebtesten ist der Nordteil des Sees, vor allem Torbole mit seinen starken Winden. In Riva, Campione und Torbole finden im August und September Windsurfmeisterschaften statt.

Wandern

Das Gebiet um den Gardasee und im Sarca- und Tennotal bietet dem Wanderer vielfältige Möglichkeiten: leichte Wege entlang der Hügel über dem Seeufer bzw. den Tälern, aber auch anspruchsvolle Bergtouren in den Höhenlagen. Besonders beliebt ist das Monte-Baldo-Gebiet zwischen Monte Altissimo und Monte Maggiore, das eine Vielzahl gut zu gehender Wege mit oftmals herrlichen Aussichten und einer einzigartigen Flora bietet.

Am Westufer sind es die Umgebung des Ledrosees und die Hochebene von Tremosine, wo besonders reizvolle Wanderungen locken.

Wintersport

Wintersport ist auf das Gebiet des Monte Baldo beschränkt. Nicht weit vom Gardasee entfernt liegen jedoch die Skigebiete des Trentino.

Statistik

Der Gardasee liegt 65 m über dem Meeresspiegel und ist an seiner tiefsten Stelle 346 m tief. Seine maximale Länge beträgt 51,6 km, die maximale Breite 17,5 km. Insgesamt 368 km^2 werden von dem See eingenommen. Die durchschnittliche Wassertemperatur beträgt an der Oberfläche 13°, die der Luft 12°. Rund 130 000 Menschen leben an seinen Ufern. Das Reisegebiet dieses Führers umfaßt das Land zwischen Trient und Verona, die Ufer des Gardasees, das Sarca-, Tenno- und Minciotal sowie die Stadt Brescia und berührt damit die Regionen Venetien (Veneto), Lombardei (Lombardia) sowie die Provinz Trient (Trentino).

Unterkunft

Hotels

Hotels werden mit * (sehr bescheiden) bis *****(Luxushotel) klassifiziert. Wer gerne unmittelbar am Seeufer wohnt, sollte sich unbedingt vorher über die genaue Lage des Hotels informieren. *Prospektmaterial* mit Ortsplänen erhält man über die **Fremdenverkehrsbüros.** In der *Hochsaison*, vor allem während der italienischen Schulferien (Mitte Juni bis Mitte September), sind die Hotels häufig ausgebucht. Empfehlungen bieten die ›**Praktischen Hinweise**‹ bei den jeweiligen Orten.

Ferienhäuser

Im ganzen Reisegebiet werden wochenweise vermietbare Ferienhäuser und Ferienwohnungen angeboten. Sie sind komplett eingerichtet, Bettwäsche und Handtücher müssen häufig mitgebracht werden, können aber teilweise auch gemietet werden. Reichillustrierte *Kataloge* (auch von ADAC Reisen) geben detaillierte Auskünfte.

Camping

Groß ist das Angebot an Campingplätzen, über das Prospektmaterial der örtlichen Fremdenverkehrsverbände informiert. Eine Beschreibung geprüfter Campingplätze bietet der jährlich erscheinende *Camping-Führer des ADAC.*

Jugendherbergen

Über Jugendherbergen gibt die Gesellschaft AIG (Associazione Italiana Alberghi per la Gioventù), Via Cavour 44, 00184 Rom, Tel. 06/4 87 11 52 Auskunft.

Vergnügungsparks

Der größte Vergnügungspark ist **Gardaland** in Castelnuovo del Garda, eine Art Disneyland, der in den Sommermonaten auf Tausende von Besuchern zählen kann [s. S. 35].

Öffnungszeiten: tgl. 9 – 18 Uhr, 28. Juni – 10. Sept. tgl. 9 – 24 Uhr (telefonische Anfrage empfehlenswert), Tel. 045/644 97 77

Il Mondo di Caneva bei Lazise, Tel. 045/7 59 06 22. Wasservergnügungspark mit sportlichen und artistischen Attraktionen.

Öffnungszeiten: 24. Mai. – 14. Sept. tgl. 10 – 18 Uhr, im Juli und Aug. auch bis 20 Uhr.

Parco Natura Viva Pastrengo-Bussolengo (4 km von der Autobahn Verona entfernt), Tel. 045/7 17 00 52. Großer, schön gelegener Safaripark, den man

mit dem eigenen Wagen durchquert; Botanischer Garten, Reptiliensammlung und Saurierpark (Nachbildung prähistorischer Saurier).

Öffnungszeiten: 15. März – 31. Okt. tgl. 9 Uhr bis Dunkelheit, 1. Nov. – 14. März nur sonn- und feiertags.

Verkehrsmittel im Land

Eisenbahn

Am Gardasee selbst besteht keine Eisenbahnverbindung, lediglich Peschiera del Garda ist ans Bahnnetz angeschlossen. Von hier aus muß man mit Bussen weiterreisen. Zugverbindungen gibt es jedoch nach Trient, Brescia und Verona.

Bus

Das Busnetz zwischen den Küstenorten ist gut ausgebaut. Fahrkarten für die Linienbusse erhält man an Kiosken oder in Geschäften, die den Verkauf extra anzeigen. In manchen Orten gibt es auch Automaten an den Haltestellen. Beim Busfahrer kann nicht bezahlt werden.

Schiffsverkehr

Zu den eindrucksvollsten Erlebnissen eines Aufenthalts am Gardasee gehört eine Fahrt mit dem Schiff. Nirgendwo sonst erschließt sich die Landschaft so schön wie vom Wasser aus.

Zwischen allen wichtigen Orten am See besteht ein Linienverkehr von ca. Mitte März bis Oktober. Es fahren *Motorschiffe* sowie *Tragflügelboote*. Zwischen Toscolano-Maderno und Torri del Benaco verkehrt während des ganzen Jahres eine *Autofähre*. Von Ende März bis Ende September finden außerdem *Ausflugsfahrten* von Desenzano aus statt: nach Riva, Sirmione und Gardone, nach Salò und Sirmione sowie von Peschiera nach Riva del Garda.

Auskunft: Direzione di Esercizio, Navigazione Lago di Garda, Piazza Matteotti, 25015 Desenzano, Tel. 030/9 14 13 21/22/23

Mietwagen

In den Städten und größeren Orten kann man bei Filialen bekannter Agenturen Autos mieten. Für Mitglieder bietet die ADAC-Autovermietung GmbH günstige Bedingungen. Buchungen über Tel. 01 30/81 81 81 oder die ADAC-Geschäftsstellen

Bildnachweis